LES LIBERTÉS EN FRANCE ET AU ROYAUME-UNI : ÉTAT DE DROIT, RULE OF LAW

À propos de l'anniversaire de la Grande Charte de 1215

COLLECTION COLLOQUES VOLUME 28

Actes du colloque en hommage à Roger Errera

organisé par le Conseil d'État, la Société de législation comparée et l'Association des juristes franco-britanniques, le 30 novembre 2015

LES LIBERTÉS EN FRANCE ET AU ROYAUME-UNI : ÉTAT DE DROIT, RULE OF LAW

À propos de l'anniversaire de la Grande Charte de 1215

Sous la direction d'Aristide LÉVI

2016 I.S.B.N 978-2-36517-060-4 I.S.S.N. 1952-5966

Roger Errera, Salzbourg, été 1992

Roger Errera a participé, de 1992 à 1996, à plusieurs sessions du Salzburg Seminar in American Studies, fondé en 1947, – aujourd'hui dénommé Salzburg Global Seminar –, sessions consacrées au droit international et aux droits de l'homme. Membre du corps enseignant (Faculty), il a aussi été co-directeur et directeur de session[1].

Salzbourg, 1992 : session consacrée à « La protection internationale des droits de l'homme ». Roger Errera y a fait une conférence intitulée « La protection des droits de l'homme aujourd'hui : droit national et droit international ».

Ce texte, de 35 pages, est dédié à la mémoire de Jan Patočka (1907-1977), un des principaux philosophes tchèques du XXe siècle, un des porte-parole de la Charte 77, mort, le 13 mars 1977, des suites des interrogatoires menés par la police tchèque à son encontre. Roger Errera l'avait rencontré, ainsi que Vaclav Havel et d'autres initiateurs de la Charte, dans l'appartement de Jan Vladislav, à Prague, début janvier 1977, peu de jours avant la publication de ladite Charte.

---

[1] Exposé à Salzbourg en 1992 : Droit des minorités et leur protection – Le 10 octobre 1993 : exposé sur la CSCE – 29 juillet-5 août 1994 : chairman of the session on "Transnational Law & Legal Institutions" – Co-chairman, en 1996, de la session consacrée à la protection des droits de l'homme.

Roger Errera, Honorary Fellow of University College London, 2002. À sa droite, Sir Christopher Llywellyn Smith, President and Provost of UCL. À sa gauche, Lord Young of Graffham, Chair of the Board of Governors of UCL.

Roger Errera is an outstanding French jurist who has made major contributions to studies at UCL on comparative administrative law. He was, until December 2001 a member of the French Conseil d'État ; the supreme court for administrative law in France and the body that vets government bills and draft regulations. His involvement with UCL began in 1983 at a time when there was little understanding in the UK legal and academic circles of the French legal system and the developing principles of European administrative law. His lectures to law students and members of the legal profession were so successful that with the support of the British Council he was invited back 4 years later to be a Senior Research Fellow in the Institute of Advanced Legal Studies. Since then he has been a regular visitor and participant in seminars at UCL. He serves on the editorial board of the leading journal *Public Law* and contributes a regular section on the case law of the Conseil d'État. Mr Errera is a member of the Council of Magistrates, the body in charge in judicial appointments in France.

TABLE DES MATIÈRES

Troisième partie
Et ce sera justice …
« Nulli vendemus, nulli negabimus, aut differemus rectum aut justiciam »

Roger Errera : un juge dans la cité, une passion pour les libertés

Conclusion

PROPOS INTRODUCTIFS

OUVERTURE

Jean-Marc SAUVÉ*

Mesdames et Messieurs,
Mes chers collègues,
Chère Madame Errera,

« Le propre des grands textes juridiques, nationaux et internationaux, est de contenir des virtualités qui ne se révèlent qu'à terme »[1]. C'est ainsi que Roger Errera saluait la richesse de la Déclaration française des droits de l'Homme et du citoyen ainsi que de la Convention européenne des droits de l'Homme. Une telle opinion est sans aucun doute transposable à la Grande charte de 1215. Le 800e anniversaire de ce texte fondateur de la tradition britannique du *Rule of Law* et, plus largement, de la pensée libérale en Europe nous invite à examiner la vitalité des droits fondamentaux qui, sous des formulations stables depuis des siècles, recouvrent des garanties nouvelles et ont été adaptés aux transformations politiques et sociales des sociétés contemporaines.

Pour évaluer le niveau actuel de protection des libertés fondamentales, quel meilleur guide pourrions-nous suivre, sinon la pensée de Roger Errera ? Nous trouvons dans son œuvre de juriste, de juge et d'enseignant, un puissant antidote contre l'épuisement de notre vigilance démocratique et un point d'appui pour analyser toute perte de substance ou de vitalité des droits fondamentaux. Car ces droits sont et doivent rester vivants : célébrer leur anniversaire, ce n'est pas seulement les examiner sous l'angle de l'histoire du droit et de la pensée politique, c'est montrer leur fécondité et leur

---

* Vice-président du Conseil d'État. Texte écrit en collaboration avec Stéphane EUSTACHE, magistrat administratif, chargé de mission auprès du vice-président du Conseil d'État.

[1] R. ERRERA, *Et ce sera justice... Le juge dans la cité*, Gallimard, 2013, p. 131.

postérité ; c'est suivre aussi le subtil équilibre entre l'ajustement progressif de leur contenu et la préservation de ce qu'ils recèlent d'essentiel, d'inaltérable, je dirais même d'infrangible. Il faut par conséquent saluer l'initiative des organisateurs du présent colloque, la Section du rapport et des études du Conseil d'État, la Société de législation comparée et l'Association des juristes franco-britanniques, qui nous invitent à examiner aujourd'hui toutes ces questions.

Pour nous guider, la figure de Roger Errera sera particulièrement pertinente et précieuse et c'est à celle-ci que je voudrais consacrer mon introduction en rendant hommage à la double figure du juge éclairé et du juriste engagé.

I. LE JUGE ÉCLAIRÉ

Roger Errera avait l'intelligence du droit. Il disposait d'une connaissance profonde et savante de toutes les sources du droit, il portait son regard et élargissait le champ de son savoir juridique bien au-delà de nos frontières. Il maîtrisait parfaitement, outre notre droit, plusieurs droits internationaux et, en particulier, le droit de la Convention européenne des droits de l'Homme. De surcroît, son esprit était pénétré de nombreuses cultures juridiques étrangères, européennes et spécialement britannique, mais aussi américaine. Cette ouverture d'esprit lui conférait une hauteur de vue unique. Il n'était pas seulement un expert du droit ; il entrait dans l'esprit des lois et des jurisprudences : il en connaissait les origines et les raisons ; il en tirait toutes les conséquences concrètes et utiles ; il en prévoyait les développements et les aboutissements. Il était en cela un juge et un juriste éclairé. Deux éléments témoignent de l'acuité de son regard : d'une part, son ouverture très précoce aux droits internationaux et étrangers, d'autre part, une capacité d'intuition et de prévision des grandes transformations du droit et des systèmes juridiques.

A. – *Une ouverture précoce aux droits internationaux et étrangers*

1. Entré en 1959 au Conseil d'État à sa sortie de la promotion Vauban de l'École nationale d'administration, Roger Errera a été le témoin et l'artisan de l'ouverture de notre droit aux sources internationales.

Il faut bien mesurer ce qu'était l'horizon du juge administratif et sa culture avant la pleine reconnaissance de la primauté du droit international sur les lois nationales, même postérieures, c'est-à-dire avant l'arrêt *Nicolo* –

qui est le véritable acte de naissance du contrôle dit « de conventionalité » dans l'ordre administratif. Comme rapporteur à la Section du contentieux, Roger Errera adhéra et contribua à cet *aggiornamento* salutaire. Parmi les très nombreuses affaires qu'il a rapportées, il faut mettre en lumière les onze qui ont été portées devant l'Assemblée du contentieux et, notamment, l'arrêt *GISTI* du 29 juin 1990 qui figure au Panthéon de nos « grands arrêts »[2]. Par cette décision, le Conseil d'État s'est reconnu compétent pour résoudre lui-même les difficultés soulevées par l'interprétation d'une convention internationale, sans être contraint de suivre l'interprétation retenue par le ministre des affaires étrangères saisi à titre préjudiciel. L'arrêt *GISTI* a été à l'origine d'une longue lignée de grands arrêts : dans son sillage, le juge administratif s'est reconnu compétent pour interpréter une convention internationale conformément à nos principes à valeur constitutionnelle[3], pour vérifier si la condition de réciprocité d'une convention internationale était ou non satisfaite[4], pour combiner ou concilier entre elles des conventions internationales entrant en concurrence[5], ou encore pour apprécier si les stipulations d'une convention internationale sont ou non d'effet direct[6]. Comme l'a noté Roger Errera, ces avancées jurisprudentielles montrent comment les juges parviennent à s'approprier les textes internationaux à l'application desquels ils doivent veiller : citant Portalis et Hamilton et établissant un parallèle entre le juge administratif français et les juges de *Common Law*, notre collègue a justement insisté sur le fait que « l'un des instruments du juge, de *tous* les juges, est l'acte d'interprétation de la norme à appliquer, quelle qu'elle soit »[7].

De la même manière, Roger Errera a été un « pilier » et un référent de la Section de l'intérieur et de l'Assemblée générale consultative du Conseil d'État et il a apporté une contribution éminente à l'élaboration des textes relatifs à la justice, au droit pénal et pénitentiaire ainsi qu'aux libertés publiques et au droit des étrangers.

2. Cet esprit d'ouverture, Roger Errera l'a manifesté au Conseil d'État, mais aussi à l'extérieur, dans deux directions particulières : le droit des

---

[2] CE, Ass., 29 juin 1990, *Groupe d'information et de soutien des travailleurs immigrés (GISTI)*, *Rec.* 171 ; v. *Les grands arrêts de la jurisprudence administrative*, Dalloz, n° 92, 19ᵉ éd., p. 673.

[3] CE, Ass., 3 juillet 1996, *Koné*, n° 169219.

[4] CE, Ass., 9 juillet 2010, *Cheriet-Benseghir*, n° 317747.

[5] CE, Ass., 23 juillet 2011, *Kandyrine de Brito Paiva*, n° 303678.

[6] CE, Ass., 11 avril 2012, *GISTI*, n° 322326.

[7] R. ERRERA, *Et ce sera justice... Le juge dans la cité*, Gallimard, 2013, p. 34.

étrangers et le droit comparé, deux matières qui ont été des fils directeurs dans sa carrière de juge et de professeur.

Les droits fondamentaux de la personne, comme ceux consacrés dans la Grande charte ou la Déclaration de 1789, ont trouvé un point d'application très fécond dans le domaine du droit des étrangers. Roger Errera a eu très tôt conscience du rôle moteur que joue le droit international dans le développement de ces garanties à partir de la fin des années 1970. En droit administratif, comme rapporteur à la 2e sous-section, il contribua directement à cet essor en matière d'extradition ou d'expulsion. Deux affaires ont à cet égard marqué de son empreinte notre droit public. Par les arrêts d'Assemblée du 19 avril 1991, *Babas*[8] et *Belgacem*[9], rendus également à son rapport, le Conseil d'État a admis l'invocabilité des stipulations de l'article 8 de la Convention européenne des droits de l'Homme à l'encontre de mesures de reconduite à la frontière et d'expulsion. Comme il l'a écrit, le juge administratif a, par ces deux arrêts, mis fin à une « autolimitation injustifiée »[10] de son contrôle. En élargissant la palette de ses normes de référence, il assure une protection accrue de la vie privée et familiale des étrangers, mais aussi une garantie nouvelle contre les risques de traitements inhumains et dégradants, au visa de l'article 3 de la Convention. Plus profondément, l'essor du contrôle de conventionalité a exercé un puissant effet d'entraînement dans d'autres branches du droit public et, en particulier, au niveau constitutionnel à partir de 1993[11]. C'est ainsi qu'a pu se développer la richesse de nos textes fondateurs.

Roger Errera était certainement le mieux placé, par sa culture juridique, pour mesurer et anticiper cette évolution du droit. Il ne s'est jamais enfermé dans une tradition juridique et il a, parmi les premiers, porté un intérêt marqué aux droits étrangers et au droit comparé. Il fit là encore œuvre de précurseur. Car l'usage du droit comparé et l'observation des solutions retenues par nos proches voisins sur des questions communes se sont banalisés et font désormais partie des réflexes du juge et, en particulier, du juge administratif. À une époque où ces pratiques étaient encore embryonnaires et ne s'imposaient pas en raison du relatif cloisonnement des ordres juridiques nationaux, Roger Errera eut l'intuition qu'un nouveau champ de savoir était à conquérir. Dès 1967, il débuta une carrière d'enseignant à l'étranger, en devenant *visiting lecturer* à l'Université de

[8] CE, Ass., 19 avril 1991, *Babas*, n° 117680.
[9] CE, Ass., 19 avril 1991, *Belgacem*, n° 107470.
[10] R. ERRERA, *Et ce sera justice… Le juge dans la cité*, Gallimard, 2013, p. 132.
[11] CC n° 93-325 DC du 13 août 1993.

Princeton aux États-Unis, avant d'y retourner en 1975. Plus tard, il fut accueilli à l'*University College* de Londres, où il fut professeur durant les années 1983-1984, avant de devenir *senior research fellow* à l'*Institute for Advanced Legal Studies* de 1987 à 1988. Son intérêt pour l'enseignement et la découverte d'autres traditions juridiques fut constant : il fut de 1994 à 2010 professeur à l'Université d'Europe centrale à Budapest, puis en 1995 responsable du cours « Extradition et droits de l'Homme » à l'Académie de droit international de Florence. Son itinéraire atypique pour un conseiller d'État conféra à son œuvre un rayonnement international, qui a rejailli sur les institutions qu'il servit, dont naturellement le Conseil d'État auquel il était très attaché.

B. – *Un regard informé sur le devenir des droits fondamentaux et des systèmes juridiques*

1. L'ouverture d'esprit et la vaste culture juridique de notre collègue lui ont permis de saisir les différences ou les répétitions dans la protection des droits d'une société à une autre.

Le regard multiple du comparatiste est particulièrement utile dans des situations où plusieurs droits fondamentaux entrent en concurrence et doivent être conciliés d'une manière fine et évolutive. C'est notamment le cas de la mise en balance à opérer entre la liberté d'expression, la sauvegarde de l'ordre public et le droit au respect de la vie privée. Roger Errera montra à cet égard les points de convergence entre les droits des États européens – en particulier français, britannique et allemand – sous l'influence des garanties de l'article 10 de la Convention européenne des droits de l'Homme et des principes généraux du droit de l'Union européenne. Il souligna ainsi l'unité d'une tradition européenne au regard du droit américain, tout en appelant à un renforcement des échanges et des débats d'idées entre les deux rives de l'océan Atlantique[12]. Dans ses analyses, les points de convergence ne masquaient jamais une analyse fine des spécificités nationales. Il montra ainsi la spécificité originelle du droit britannique, qui ne connaissait pas jusqu'à une date récente de voie de recours autonome pour contester un mésusage de données à caractère

[12] « The international dimension of the law is visible everywhere in Europe, as illustrated by the case law of the Strasbourg Court and its influence on domestic law. This is in marked contrast to the American scene. The transatlantic trade of ideas on free speech need to be increased. The dominant winds seem to be, for the moment, estward ones », R. ERRERA, « Freedom of speech in Europe », in *European and US Constitutionalism*, G. NOLTE (dir.), Council of Europe Publishing and Cambridge University Press, 2005, p. 23.

personnel. Cet état du droit évolua après l'adoption en 1998 du *Human Rights Act*, qui permit aux garanties de la Convention européenne des droits de l'Homme de produire leurs effets en droit interne. Désormais, même lorsque les informations divulguées ne revêtent pas un caractère confidentiel, un usage détourné d'information à caractère privé (« *misuse of private information* »)[13] peut être contesté[14]. La Cour d'appel d'Angleterre et du pays de Galles (*England and Wales Court of Appeal*) a explicitement reconnu, par un arrêt du 27 mars 2015, *Google Inc. v Vidal-Hall*[15], l'existence d'un recours spécifique fondé sur un tel usage détourné d'informations à caractère privé.

2. Capable de porter loin ses regards, Roger Errera aperçut avec clairvoyance les transformations structurelles des ordres juridiques nationaux et internationaux et, en particulier, leur imbrication croissante.

Un exemple témoigne de sa capacité d'intuition. Au cours des débats qui agitèrent la doctrine juridique sur le projet d'adhésion de l'Union européenne à la Convention européenne des droits de l'Homme, Roger Errera fit entendre dans un article publié en 2003 une position équilibrée et pleine de finesse, en nuançant les avantages attendus d'une telle adhésion. Il souligna en effet que la convergence des garanties à l'échelle européenne était déjà assurée grâce aux principes généraux du droit de l'Union, lesquels s'inspirent notamment des instruments internationaux de protection des droits de l'Homme, auxquels sont parties les États membres de l'Union et donc de la Convention européenne des droits de l'Homme. Comme ancien juge, Roger Errera insista sur le rôle régulateur des jurisprudences. Plus profondément, il défendit l'idée d'une différence d'approche « inévitable,

---

[13] *Campbell v MGN*, [2004] UKHL 22 : « The continuing use of the phrase duty of confidence and the description of the information as confidential is not altogether comfortable. Information about an individual's private life would not in ordinary usage be called confidential. The more natural description today is that such information is private, the essence of the tort is better encapsulated now as a misuse of private information. In the case of individuals this tort however labelled affords respect for one aspect of individual's privacy. That is the value underlying this cause of action. An individual's privacy can be invaded in ways not involving public information ».

[14] Le juge examine alors s'il existe une attente raisonnable de vie privée (*reasonable expectation of privacy*) et, le cas échéant, il procède à un *balancing exercise*, afin de concilier la liberté d'expression et le droit au respect de la vie privée selon les circonstances de l'affaire, voir par ex. : *Re S (A Child)*, [2005] 1 AC 593 : « First, neither article has as such precedence over the other. Secondly, where the values under the two articles are in conflict, an intense focus on the comparative importance of the specific rights being claimed in the individual case is necessary. Thirdly, the justifications for interfering with or restricting each right must be taken into account. Finally, the proportionality test must be applied to each ».

[15] *Google Inc. v Vidal-Hall*, [2015], EWCA.

mais pleinement légitime »[16] entre les deux cours de Strasbourg et de Luxembourg, lesquelles poursuivent des finalités différentes. Roger Errera mesura par ailleurs toutes les conséquences d'une adhésion : elle conduirait à « subordonner la Cour de justice de l'Union européenne à la Cour européenne des droits de l'Homme, c'est-à-dire à un organisme issu d'un autre système et composé en partie de juges n'appartenant pas à l'Union »[17]. Sans prendre ici parti sur cette question délicate, je ne peux que souligner la parenté et la communauté de vue entre cette opinion et l'avis rendu sur cette question par la Cour de justice de l'Union le 18 décembre 2014[18].

Homme de savoir et d'ouverture, notre collègue a ainsi marqué de son empreinte la jurisprudence administrative et la doctrine de son temps. Nous sommes les héritiers du legs qu'il nous a transmis. Nous lui sommes aussi redevables des combats qu'il a menés au long de sa carrière au service des plus nobles causes.

II. LE JURISTE ENGAGÉ

Roger Errera avait la passion de la liberté et de la justice. Il ne se contentait pas de beaux systèmes, ni d'idées abstraites ; il voulait servir et il traduisait ses convictions et les principes du droit par des engagements concrets et utiles. Il savait être un expert et un érudit, tout comme un chef de projet et un homme de terrain. Sa personnalité passionnée et chaleureuse, mais aussi portée au didactisme et à la pédagogie, emportait les adhésions et suscitait les attachements. Son parcours est tout entier placé sous le signe de l'engagement et du dévouement à des causes d'intérêt général. C'est ce qui fait sa singularité et son honneur. Il ne reculait pas devant les obstacles et ne retenait pas sa parole, même s'il devait poser des diagnostics sévères et prononcer des paroles dures à entendre ou désagréables. Il savait aussi contribuer à transformer de l'intérieur les institutions, sans les braquer, ni les affaiblir, grâce à son sens des relations humaines et des responsabilités. Il fut un défenseur ardent des libertés et il a œuvré pour l'institution judiciaire, dont il a analysé les transformations et contribué à réformer le fonctionnement.

---

[16] R. ERRERA, « Les droits de l'Homme dans l'Union européenne, acquis, réalités et perspectives », *Revue hellénique des droits de l'homme*, n° 20, 2003, p. 1053.

[17] R. ERRERA, « Les droits de l'Homme dans l'Union européenne, acquis, réalités et perspectives », *Revue hellénique des droits de l'homme*, n° 20, 2003, p. 1053.

[18] CJUE, Assemblée plénière, 18 déc. 2014, *Avis 2/13*, § 157.

A. – *La passion des libertés*

1. Roger Errera a servi les libertés par son activité d'auteur et d'éditeur.

Il était un homme de culture et de lettres et se distinguait par un style précis et exigeant mettant en valeur une véritable indépendance d'esprit. Son ouvrage *Les libertés à l'abandon*, publié en 1968, réédité en 1969 et entièrement révisé en 1975, est un témoignage éloquent de ce que furent sa démarche et son ambition intellectuelle. Cet ouvrage, très documenté, donne les étapes et trace des perspectives, sans jamais perdre pied, grâce à des exemples précis et bien choisis, des statistiques et des références juridiques nombreuses, une chronologie et une bibliographie fournies. Qu'on adhère ou non à ses conclusions, l'effet démonstratif reste aujourd'hui saisissant et l'*incipit* de l'ouvrage est resté dans les mémoires : « De quelles libertés les Français jouissent-ils réellement ? Sont-ils plus ou moins libres qu'il y a trente ou quarante ans ? Leur sort est-il plus enviable que celui des citoyens de tel ou tel pays étranger ? Comment s'explique l'évolution qui s'est produite depuis une génération ? C'est à ces questions que ce livre veut répondre, en retraçant une évolution et en fournissant une information de base »[19]. S'expriment en ces quelques lignes le sens critique et l'exigence intellectuelle de Roger Errera, que salua Pierre Vidal-Naquet lors de la parution de l'ouvrage[20]. Avec une aisance remarquable, celui-ci aborde les mesures de police administrative, le droit de la presse et des médias, le statut des magistrats et les politiques judiciaires, le droit du travail, les droits économiques et sociaux, la protection de la vie privée et les droits des minorités. Dans cette investigation, Roger Errera fait entendre une inquiétude, celle d'un « grignotage » progressif et insidieux des libertés : dès qu'une restriction, pourtant légitime, des libertés apparaît, « elle fait « tâche d'huile », elle est progressivement appliquée au-delà des limites fixées au début (…) et à d'autres que ceux qui étaient initialement visés. Il arrive même qu'elle s'institutionnalise et que, fruit de l'urgence, elle devienne permanente »[21]. Si ces lignes doivent être lues dans le contexte de leur publication, qui est celui de l'après-guerre d'Algérie, il n'est pas interdit d'y entendre, dans les circonstances troublées que nous connaissons, un avertissement à méditer.

---

[19] R. ERRERA, *Les libertés à l'abandon*, coll. « Politique », éd. du Seuil, 1968, p. 11.

[20] P. VIDAL-NAQUET, *Le Monde*, 9 déc. 1968.

[21] R. ERRERA, *Les libertés à l'abandon*, coll. « Politique », éd. du Seuil, 1968, pp. 17-18.

2. La passion de Roger Errera pour les libertés venait assurément de loin. Né en 1933, année sombre en ce qu'elle a vu l'accession de Hitler au pouvoir, il a été un enfant et un homme du XXe siècle.

Il a été profondément marqué par les totalitarismes, fasciste, nazi et soviétique, par la crise du régime républicain de la IIIe à la IVe République et par l'inéluctabilité de la guerre, qu'il s'agisse de la Seconde guerre mondiale, des guerres de décolonisation ou de la guerre froide. Son indignation était grande, lorsque la France manquait à ses valeurs et s'écartait de ce qui constitue son identité, à savoir les principes de la République. Il lui était ainsi insupportable de relever que, dès 1938, les réfugiés politiques allemands, autrichiens et espagnols en application des décrets-lois de 1938 et 1939, puis les Juifs et d'autres catégories de personnes sous le régime de Vichy ont été assignés à un statut et retranchés du reste de la communauté par les autorités publiques. Il y décelait les stigmates d'« une mentalité de guerre, plus prompte à désigner et à pourchasser l'ennemi, notamment l'ennemi de l'intérieur, qu'à s'embarrasser de distinctions, de procédures et de garanties »[22]. Roger Errera savait qu'un travail de mémoire devait être entrepris sur le régime de Vichy. Nous lui devons ainsi l'initiative de recherches nouvelles à compter des années 1970. C'est Roger Errera qui, par une lettre du 2 juillet 1971, invita un jeune chercheur américain, issu d'une famille protestante et alors totalement inconnu en France, Robert Paxton, à enquêter sur la politique antisémite du régime de Vichy. Dans cette lettre, Roger Errera insistait sur la nécessité d'une étude approfondie et documentée, irréfutable et pourvoyeuse de vérité sur la part de responsabilité imputable au régime et à l'occupant nazi dans la déportation des Juifs et sur l'attitude des autorités publiques face à la collaboration. En juin dernier, lors du colloque organisé au Musée d'art et d'histoire du judaïsme à Paris, Robert Paxton, professeur émérite à l'Université Columbia (N.Y.), rendit hommage à la pugnacité et à la détermination de Roger Errera : en 1976, alors que le projet d'ouvrage était au point mort et prêt à être abandonné, notre collègue le relança et proposa en renfort à Robert Paxton un jeune chercheur canadien, Michaël Marrus. Publié en 1981 simultanément en France, chez Calmann-Levy, dans la collection « Diaspora », que dirigeait Roger Errera, et aux États-Unis, cet ouvrage est devenu un livre de référence qui vient d'être réédité cette année[23].

Cette exigence de vérité historique, Roger Errera l'a soutenue dans toutes ses manifestations, dans les études historiques, mais aussi dans les

[22] R. ERRERA, *Les libertés à l'abandon*, coll. « Politique », éd. du Seuil, 1968, p. 13.
[23] M. MARRUS et R. O. PAXTON, *Vichy et les juifs*, Calmann-Lévy, oct. 2015.

décisions de justice relatives à la responsabilité de l'État français, c'est-à-dire du régime de Vichy et de ses dirigeants. Il eut des mots très forts pour saluer deux décisions du Conseil d'État, l'arrêt d'Assemblée *Papon* du 12 avril 2002[24] et l'avis d'Assemblée *Hoffman-Glemane* du 16 février 2009[25] : « En disant le droit, ce qui est sa mission, le juge a aussi apporté sa contribution à la construction de la mémoire nationale »[26]. Notre collègue a également manifesté son approbation sans restriction des décisions rendues en janvier 2014 par le juge des référés du Conseil d'État[27] sur les décisions d'interdire le spectacle « Le Mur » de M. Dieudonné M'Bala M'Bala, qui portait gravement atteinte au respect de valeurs et de principes, tels que la dignité de la personne humaine, et qui provoquait à la haine et à la discrimination raciales, – les interdictions prononcées visant à prévenir ces atteintes ainsi que la commission de telles infractions.

B. – *L'engagement au service de la justice*

1. Il existe une grande cohérence et continuité d'action entre les différents engagements de Roger Errera : il a mis la même indépendance d'esprit et la même exigence professionnelle dans ses activités éditoriales que dans l'exercice de ses responsabilités au sein de l'appareil judiciaire.

Il en avait une connaissance intérieure, comme membre du Conseil d'État, mais aussi comme représentant du Conseil d'État, élu par son Assemblée générale, au Conseil supérieur de la magistrature (CSM). Il fut membre du CSM pendant quatre ans de mai 1998 à mai 2002 et il en présida la réunion plénière de juin 1998 à août 1999. Il est toujours resté très attentif aux questions touchant à l'administration de la justice et il suivit de près les réformes successives du CSM. Il salua à cet égard la « grande mutation »[28] de 1993 : depuis la loi constitutionnelle du 27 juillet 1993[29], les magistrats siégeant au Conseil sont en effet élus par leurs pairs et le Conseil émet des propositions pour la nomination des présidents des tribunaux de grande instance – au-delà de celles qu'il faisait déjà pour les conseillers à la Cour de

---

[24] CE, Ass., 12 avril 2002, *Papon*, n° 238689.

[25] CE, Ass., avis, 16 février 2009, *Hoffman-Glemane*, n° 315499.

[26] R. ERRERA, *Et ce sera justice... Le juge dans la cité*, Gallimard, 2013, p. 160.

[27] CE 9 janvier 2014 n° 374508 *Ministre de l'intérieur c/ Société les Productions de la Plume et M. Dieudonné M'Bala M'Bala* ; 10 janvier 2014 n° 374528 *SARL Les Productions de la Plume et M. Dieudonné M'Bala M'Bala* ; 11 janvier 2014 n° 374552 *SARL Les Productions de la Plume et M. Dieudonné M'Bala M'Bala.*

[28] R. ERRERA, *Et ce sera justice... Le juge dans la cité*, éd. Gallimard, 2013, p. 207.

[29] Loi constitutionnelle n° 93-952 du 27 juillet 1993 portant révision de la Constitution du 4 octobre 1958 et modifiant ses titres VIII, IX, X et XVII.

cassation et les premiers présidents des cours d'appel – ainsi qu'un avis conforme sur les nominations des magistrats du siège et un avis simple sur les nominations des magistrats du parquet. La loi constitutionnelle du 23 juillet 2008 étendit cette procédure consultative aux procureurs généraux.

Indépendamment des réformes textuelles, Roger Errera encouragea le dynamisme de l'institution, qui, dès 1996, décida de sa propre initiative de rendre publiques ses audiences disciplinaires, se référant aux grands principes du procès équitable et aux garanties de l'article 6 de la Convention européenne des droits de l'Homme - bien avant que la loi organique n'édicte la publicité de ces audiences en 2001[30]. Par ailleurs, il fut très attaché à la publication par le CSM d'un rapport annuel à compter de 1995 : « Pour la première fois, l'ensemble des magistrats et le public disposent d'un document accessible exposant comment les magistrats sont nommés, la procédure suivie et le fonctionnement interne du CSM »[31]. Roger Errera fut avec constance une force de proposition et un acteur très impliqué dans la mise à niveau du CSM au regard des standards internationaux, sans chercher pour autant à dénaturer ses missions ou à usurper d'autres fonctions. Il n'était pas question, pour lui, de transformer le CSM en un « ministère *bis* de la Justice »[32]. Outre son rôle au sein du CSM, il faut aussi souligner son action, en tant qu'administrateur de l'École nationale de la magistrature de 1988 à 1996, – mandat qu'il a exercé avec passion en s'investissant dans l'ensemble des débats de l'école sur le recrutement, la formation judiciaire et la justice. Il a aussi participé avec détermination aux enseignements de cette École, notamment dans le domaine du droit des étrangers, s'attachant à éveiller les consciences, faire progresser les connaissances et susciter les débats.

2. Fin connaisseur du monde judiciaire, Roger Errera n'en était pas moins capable de porter sur lui un regard extérieur, sur les transformations du rôle du juge et de sa place au sein de notre société.

Il accordait une grande importance à la responsabilité des juges, en donnant à ce terme un sens très large, qu'il puisait dans la notion anglaise d'*accountability*, mais aussi directement dans les termes mêmes de l'article 15 de la Déclaration de 1789, selon lesquels « La société a le droit de demander compte à tout agent public de son administration ». Pour Roger

[30] Loi organique n° 2001-539 du 25 juin 2001 relative au statut des magistrats et au Conseil supérieur de la magistrature.

[31] R. ERRERA, *Et ce sera justice... Le juge dans la cité*, Gallimard, 2013, p. 211.

[32] R. ERRERA, *Et ce sera justice... Le juge dans la cité*, Gallimard, 2013, p. 212.

Errera, « l'institution judiciaire doit rendre compte de ce qu'elle fait et de la manière dont elle s'acquitte de sa mission ». Pour lui, « le terme de « responsabilité » renvoie trop souvent à sa traduction exclusivement juridique et indemnitaire », alors que « rendre compte, c'est, entre autres, expliquer, justifier, accepter le débat »[33]. Il en tirait toutes les conséquences sur la gouvernance concrète de la justice et sur la nécessité d'utiliser de nouveaux critères de qualité pour évaluer son fonctionnement quotidien. Il est ainsi devenu incontournable de mesurer et de maîtriser les délais moyens de jugement et l'ancienneté des affaires pendantes, mais aussi de diversifier les circuits de traitement des requêtes, selon la nature, l'urgence et la difficulté des questions soulevées. Ces exigences constituent les fondements contemporains d'une bonne administration de la justice ou, en bon français, d'un *case management* efficace. Roger Errera en perçut très tôt la nécessité, il comprit qu'il n'était pas seulement question de chiffres et de gestion administrative, mais de l'effectivité de droits nouveaux, des droits fondamentaux du procès, apparus sous l'influence de la Convention européenne des droits de l'Homme et répondant à des exigences plus fortes des justiciables en matière de célérité, d'accessibilité et de sécurité juridique.

Juge éclairé et juriste engagé, Roger Errera a été et restera une conscience et une vigie des libertés. En avance sur son temps, il a mis au jour et dénoncé des lacunes et favorisé des évolutions. Beaucoup de celles qu'il appelait de ses vœux sont advenues, comme l'adhésion de la France à la Convention européenne des droits de l'Homme, le droit de recours individuel devant la Cour européenne des droits de l'Homme, la suppression des juridictions d'exception, l'accès des justiciables au juge constitutionnel… Mais les défis qui menacent les libertés n'ont pas cessé de se renouveler avec, parmi d'autres, les réponses à l'explosion des flux migratoires, le risque terroriste, les traitements massifs de données à caractère personnel, les restrictions multiples apportées à la liberté individuelle… Parce que nous avons surmonté bien des atteintes aux libertés, mais que nous demeurons exposés à d'autres menaces, il est juste, il est pertinent que le présent colloque scrute l'héritage de Roger Errera, s'inspire de sa pensée et lui rende hommage dans le contexte du 800e anniversaire de la Grande Charte. C'est dans nos textes les plus anciens, les plus sacrés et les plus fondamentaux que Roger Errera a puisé son inspiration et sa détermination dans l'exercice de ses fonctions de juge, de professeur, d'auteur et d'administrateur. À celui auquel nous devons tant et vers lequel nous nous tournons pour continuer à avancer sur le chemin des libertés, nous exprimons aujourd'hui notre gratitude et notre fidélité.

[33] R. ERRERA, *Et ce sera justice… Le juge dans la cité*, Gallimard, 2013, p. 272.

ROGER ERRERA, SENTINELLE DES LIBERTÉS

Bernard VATIER*

Monsieur le Vice-Président,
Madame la Présidente,

C'est un grand honneur pour celui qui préside aux destinées de l'Association des juristes franco-britanniques – *The Franco-British Lawyers Society* – de se trouver à vos côtés pour ouvrir ce colloque intitulé « Les libertés en France et au Royaume-Uni : État de Droit, Rule of Law » que le Conseil d'État, la Société de législation comparée et l'AJFB ont décidé d'organiser à l'occasion de l'anniversaire de la Grande Charte de 1215, en faisant de cette manifestation le cadre d'un hommage à un grand juriste, notre ami Roger Errera.

L'Association des juristes franco-britanniques rassemble des juristes d'Angleterre et du Pays de Galles, d'Écosse, d'Irlande du Nord et de France. Des magistrats, des universitaires, des avocats, des solicitors, des barristers, des juristes d'entreprise s'emploient, au cours de colloques, séminaires ou conférences, à tirer les enseignements de la comparaison de cultures et de systèmes juridiques certes très différents mais qui reposent sur le même socle de valeurs, en vue de favoriser l'État de droit.

Les liens que Roger Errera a entretenu avec notre association, et plus généralement avec le monde juridique d'Outre-Manche, ont été étroits et féconds.

---

* Président de l'Association des juristes franco-britanniques, ancien bâtonnier de Paris, ancien président du Conseil des Barreaux de l'Union européenne.

Roger Errera a toujours manifesté un très vif intérêt pour le droit comparé. Il avait acquis une connaissance exceptionnelle du droit anglo-saxon et du droit international.

Cette démarche n'était pas courante à la fin des années 60. À cette époque, l'engouement pour la découverte des droits étrangers et du droit international pouvait être mal perçu et même être considéré comme une trahison à la fidélité que tout bon juriste devait à notre langue et à notre droit national.

Mais Roger Errera était un homme passionné par le droit au mépris des frontières culturelles. Sa parfaite connaissance de la langue anglaise et ses grandes qualités de pédagogue, lui ont valu d'enseigner régulièrement à l'étranger, notamment à Harvard au milieu des années 70. Esprit scientifique animé par une curiosité toujours très aiguisée, il s'est particulièrement intéressé au droit anglais et aux institutions judiciaires britanniques. Les enseignements qu'il a dispensés Outre-Manche, entre autres à University College London au cours des années 80, ont fait de lui un incomparable « passeur » du droit public français et particulièrement du droit administratif. Il a fait connaître la jurisprudence française en rédigeant des chroniques régulières dans des revues très prestigieuses dont il fut longtemps un collaborateur très estimé, telle *Public Law* de 1986 à 2014 ou *European Public Law* de 1994 à 2014.

On ne saurait mieux illustrer la haute estime dans laquelle le monde académique britannique tenait Roger Errera qu'en reproduisant l'hommage que le rédacteur en chef de *European Public Law*, le Professeur Patrick J. Birkinshaw, lui a rendu dans les colonnes de cette revue : « It was with profound sadness that the editor learned recently of the death of Roger Errera, Conseiller d'État and amongst many other positions a member of the International Editorial Advisory Board of European Public Law. Roger had been a member of the Board since its inception in 1994, the year before the first issue of the journal. He was at once insightful advisor, brilliant lawyer, great humanitarian, true friend and a shrewd commentator on developments in droit administratif in Public Law – all performed with a wonderful wry sense of humour. A true Anglophile, his contributions and presence were much sought after this side of La Manche. Roger, I, and countless others, owe you so much »[1].

On ne saurait non plus passer sous silence l'engagement très fort qui fut celui de Roger Errera auprès du Comité judiciaire franco-britannique. Ce comité, qui rassemble depuis quelque trente ans les hauts magistrats des deux rives de la Manche (en 2006, il deviendra le Comité franco-irlando-

---

[1] *European Public Law*, vol. 21, Issue 1, March 2015.

britannique), est le cadre d'échanges réguliers et de coopération sur des questions de grande portée auxquelles les juges sont confrontés. Roger Errera croyait beaucoup dans les vertus de ce type d'instances de réflexions communes. Il y fera de nombreuses communications et se verra confier la présidence de la section française du Comité en 1996, prenant la suite d'un grand magistrat de l'ordre judiciaire, Mme le Premier président Myriam Ezratty, qui nous est particulièrement chère à l'AJFB puisqu'elle fut une remarquable présidente de notre association.

Dans ce contexte, il était donc tout naturel que Roger Errera se joigne aux travaux de notre société.

Il l'a fait à l'initiative d'Aristide Lévi auquel je rends un hommage public pour la part qu'il prend dans la vie de notre association, comme en témoigne l'organisation de ce colloque qui lui doit beaucoup ou encore de la conférence sur le thème « Dieu et mon Droit – Religion, société et État, Quelques problèmes d'aujourd'hui »[2] que nous avions tenue le 27 septembre 2013 à l'Assemblée nationale.

Roger Errera avait ouvert ce colloque par une introduction historique en rappelant les rapports du droit avec la religion nourris de violence et de tensions jusqu'à la période d'apaisement née de la loi de séparation des églises de l'État (1905), non sans laisser entendre qu'une nouvelle page était à écrire puisque les heurts entre droit et religion réapparaissent aujourd'hui sous de nouvelles formes. Il n'aurait sans doute pas imaginé la violence de ces nouveaux heurts comme nous la connaissons aujourd'hui.

Deux ans plus tôt, la section anglaise de l'AJFB organisait au *King's College* de Londres un excellent colloque sur le thème « Privacy in an open society – Respect de la vie privée et liberté d'expression ». Très familier de ces questions, Roger Errera y fit une communication remarquée portant sur « Privacy and the Media ». Mon ami Sir Michael Tugendghat, qui est parmi nous aujourd'hui, s'en souvient. Il présidait alors notre association et n'était pas étranger au choix du sujet retenu pour ce colloque.

Comment peut-on comprendre un intérêt aussi soutenu pour le droit international et le droit comparé ?

Au fil des ans, Roger Errera était devenu un spécialiste reconnu des droits de l'homme. Et, de toute évidence, la comparaison de systèmes juridiques différents lui a permis d'identifier les insuffisances d'un système par rapport à un autre.

En d'autres termes, la démarche comparative permet aux juristes de surmonter les conformismes culturels qui tirent le juriste par la manche. Ces

---

[2] *RIDC*, n° 3-2014, p. 661 et s.

conformismes peuvent devenir complaisance dans la mesure où le juriste n'apparaît plus que comme un technicien du droit qui se bornerait à faire application des règles du droit positif en se gardant de prendre en compte des valeurs que le droit doit protéger.

Nous avons connu par le passé d'éminents juristes capables de gloser sur des questions juridiques en foulant allégrement les valeurs fondamentales que l'État de droit avait pour fonction de défendre.

Je prends comme exemple un article de doctrine, publié en 1941, sur la situation des fonctionnaires depuis la « Révolution nationale » de 1940 dans lequel un jeune maître de conférences analyse la situation des juifs pour justifier au nom de l'intérêt public des discriminations incompatibles avec le principe de l'égalité[3].

Les apports du droit international et du droit comparé permettent donc aux juristes de lever les yeux et de distinguer, grâce à cette lumière nouvelle, les imperfections de l'État de droit dans lequel nous vivons.

Roger Errera était toujours en quête de la protection des libertés.

Il a étudié sans relâche les espaces où la liberté est retenue pour mettre en lumière *Les libertés à l'abandon.*

Son ouvrage, qui porte ce titre, édité pour la première fois en 1968, réédité l'année suivante et largement enrichi en 1975[4], illustre la clairvoyance de son auteur.

À la lecture de celui-ci nous découvrons que notre société avait admis, encore hier, la torture, les camps d'internement, la censure, l'information d'État, le non-droit du monde pénitentiaire, la Cour de sûreté de l'État et même la possibilité pour le juge d'écarter et de sanctionner l'avocat sur le champ.

Ce livre constitue un inventaire des libertés bridées. Mais qui avait conscience de l'état d'abandon dans lequel se trouvaient ces libertés ? Peu de juristes avaient cette clairvoyance et la force de dépasser cette douce accoutumance qui baisse les paupières.

On a peine à croire que c'était hier. Et si ces espaces de liberté sont aujourd'hui conquis, c'est en grande partie à Roger Errera que nous le devons.

Les réformes essentielles qui l'ont permis nous apparaissent maintenant tellement naturelles, tellement légitimes que nous pensons qu'elles sont très anciennes. Nous imaginons avoir toujours vécu dans un monde de liberté. Ce n'était nullement le cas tant la prégnance de l'État s'imposait.

---

[3] *Revue du droit public et de la science politique en France et à l'étranger*, 1941.

[4] *Les libertés à l'abandon*, coll. « Politique », Ed. du Seuil, 1968, 1969 et 1975.

C'est grâce notamment aux travaux de Roger Errera que des acquis majeurs ont pu intervenir à la fin des années 70, et surtout dans les années 80. Ses réflexions, toujours très documentées, donneront lieu à des avancées profondes en faveur des libertés publiques, dont certaines ont pour source le droit international.

Dans *Les libertés à l'abandon*, Roger Errera rappelle le rôle des conventions internationales, et note que celles-ci ont permis des progrès réels, encore que peu spectaculaires. Mettant en valeur la Convention européenne des droits de l'homme, il décrit la résistance de la France à la ratification de cette convention et dénonce les prétextes qui ont été utilisés pour retarder pendant une génération une décision qui s'imposait. Or, il sait que c'est par le souffle nouveau de cette convention qu'il peut être mis fin aux restrictions des libertés.

Roger Errera n'est probablement pas étranger à la ratification de la CEDH par la France. En 1969, il est conseiller technique au cabinet d'Alain Poher, Président du Sénat, alors que cet Européen convaincu, proche de Robert Schuman, ancien président du Parlement européen, assure l'intérim de la présidence de la République. La France ratifiera cette convention en 1974, soit vingt-trois ans après l'avoir signée. Sans doute, Roger Errera s'en est-il réjoui, même si, de fait, comme il l'observera dans *Les libertés à l'abandon*, la ratification était loin d'être entière. Il déplorera, tout particulièrement, qu'alors la France n'ait pas accepté le droit de requête individuelle.

Avec Robert Badinter comme garde des Sceaux, les réformes préconisées dans son ouvrage prennent corps. Un état d'esprit nouveau est né et les libertés retrouvent leur espace naturel avec un effet de levier incomparable : précisément, le droit de requête individuelle.

La Cour de sûreté de l'État disparaît, le délit d'audience aussi, et la jurisprudence vient à distinguer l'autorité de poursuite et l'autorité de jugement en appliquant les critères de l'impartialité objective.

La question prioritaire de constitutionnalité était préconisée par Roger Errera qui s'étonnait de l'absence de contrôle de la conformité de la loi par rapport à la Constitution. Il avait expressément évoqué dans son ouvrage, en 1975, la nécessité d'assurer un tel contrôle en offrant au Conseil d'État et à la Cour de cassation la faculté de saisir le Conseil constitutionnel d'une exception d'inconstitutionnalité à l'encontre d'une loi. La QPC est née par la loi organique du 10 décembre 2009, exactement comme Roger Errera l'avait conçue.

Notre association avait envisagé l'année dernière d'organiser un colloque à l'occasion du 8e centenaire de la *Magna Carta*, et Roger Errera avait marqué son intérêt pour prendre part à notre réflexion. Ce colloque en hommage à sa mémoire prend donc tout son sens.

L'objectif que s'étaient fixé les barons signataires de cette charte était de faire en sorte que le roi ne vienne pas perturber leur souveraineté.

Même si l'on peut considérer que cette charte était un accord de cartel, le regard porté par les générations postérieures lui a conféré une légitimité majeure en retenant d'elle l'idée qu'elle est un des fondements de l'État de droit.

Elle a pu apparaître dans la conscience collective comme organisant un équilibre entre les exigences de l'État et les libertés individuelles avec la reconnaissance du droit à l'accès au juge.

C'est précisément à la faveur de cette recherche de la gouvernance du droit par la Loi et la Justice, à laquelle il s'est consacré, que Roger Errera, a examiné scrupuleusement et en dehors de tout esprit partisan l'antagonisme entre l'organisation sociale et la liberté individuelle.

Dans l'hommage qu'il a rendu à Vaclav Havel[5], Roger Errera écrivait : « Nous savons aussi, et les penseurs politiques libéraux, de Jefferson à Benjamin Constant et à Tocqueville n'ont cessé de le dire, que l'indifférence, l'abdication des citoyens, le primat exclusif donné à la vie privée et le repli sur elle, la tentation de s'en remettre au puissant du jour peuvent menacer durablement la liberté. En d'autres termes, ce qui relie entre elles la vie publique et la vie privée est aussi la notion d'identité, celle de l'individu et celle du groupe ». Et Roger Errera de rappeler, citant Vaclav Havel[6], « le pouvoir libérateur de la parole publique ».

En exergue de son livre *Les libertés à l'abandon*, Roger Errera a cité le texte de l'abbé Gabriel Bonnot de Mably qui s'était livré à une critique morale de la société de l'Ancien régime.

« Tandis qu'un peuple libre ne s'occupe pas assez du danger qui le menace, et s'endort quelque fois avec trop de sécurité ; tandis que les grands d'une monarchie courent au-devant de la servitude, et que de petits bourgeois orgueilleux croient augmenter leur état en imitant le langage et la bassesse des courtisans, il est donc du devoir des honnêtes gens de faire sentinelle et de venir au secours de la liberté, si elle est sourdement attaquée, ou d'élever des barrières contre le despotisme ».

Roger Errera était au nombre de ces honnêtes gens. Il était une sentinelle. Il est venu au secours de la liberté. Il en a été un gardien.

---

[5] R. ERRERA, *Vaclav Havel et le sens de la liberté*, janv. 2012, cf. le très riche site internet consacré à Roger Errera : www.rogererrera.fr

[6] V. HAVEL, *Le pouvoir des sans-pouvoir, Essais politiques*, Textes réunis par R. ERRERA et J. VLADISLAV, Calmann-Lévy, 1989, p. 65.

LA MAGNA CARTA, SOURCE D'UN HÉRITAGE CONSTITUTIONNEL COMMUN*

Bénédicte FAUVARQUE-COSSON**

« Il n'y a pas de vrai sens d'un texte. Pas d'autorité de l'auteur. Quoi qu'il ait voulu dire, il a écrit ce qu'il a écrit. Une fois publié, un texte est comme un appareil dont chacun peut se servir à sa guise et selon ses moyens : il n'est pas sûr que le constructeur en use mieux qu'un autre »[1].

Certains documents sont plus importants pour ce que l'on croit, qu'ils disent que pour ce qu'ils disent réellement. La Magna Carta est l'un de ceux-là.

Qu'importe qu'en 1215, les barons en lutte contre Jean sans terre n'auraient pu imaginer la postérité de la Magna Carta. Considérée comme l'un des textes les plus importants pour le développement de la démocratie moderne, la Magna Carta est une étape cruciale dans la lutte pour la liberté. Ce qui fait la valeur de la Magna Carta, ce n'est pas le texte lui-même, mais l'héritage constitutionnel commun qui s'est progressivement construit sur ses bases, sur d'autres aussi.

---

* Ce colloque organisé en hommage à Roger Errera nous invite aussi à réfléchir à l'héritage conjoint de la Magna Carta – ceci à l'occasion du 800e anniversaire de la Grande Charte de 1215 –, et de la DDHC de 1789. En 2015, de très nombreuses manifestations ont eu lieu au Royaume-Uni sur la Magna Carta. V. en particulier, dans une perspective franco-britannique, celle organisée par l'Association des juristes franco-britanniques : « Magna Carta and the Déclaration des Droits de l'Homme et du Citoyen : Past, Present and Future 11 June 2015 », (programme disponible sur le site de l'association). Je remercie Simon Whittaker, professeur, St John's College, Oxford et Ciara Kennefick, Career Development Fellow in Law, Queen's College, Oxford, pour les éclairages contemporains qu'ils m'ont donnés ; plusieurs notes, et l'annexe, reproduisent des réflexions et informations envoyées par Ciara Kennefick.

** Professeur à l'Université Panthéon-Assas (Paris II).

[1] P. VALÉRY, *Variété III (1936), Au Sujet du Cimetière marin (1933), éd. Pléiade t. I*, p. 1507.

À la manière des mythes des origines, récits légendaires des débuts d'un peuple, de l'humanité, de l'univers, la Magna Carta fonde le récit des libertés dans un État de droit. Si la Magna Carta est un mythe, c'est un mythe fondateur.

I. LA MAGNA CARTA EST UN MYTHE

Dans un discours magistral et provocant, prononcé le 9 mars 2015 devant les Amis de la British Library, Lord Jonathan Sumption, juge à la Cour suprême, annonce qu'il est difficile de dire quelque chose de neuf sur la Magna Carta, sauf à dire quelque chose de fou, et qu'il dira quelque chose de neuf[2].

Lord Sumption commence par faire le constat de l'existence de deux écoles de pensées sur la Magna Carta. La première, celle des juristes, tient la Magna Carta pour un document constitutionnel majeur, qui fonde l'État de droit et la liberté des sujets en Angleterre. La deuxième, celle des historiens, insiste sur les motifs personnels et intéressés des barons et doute de sa valeur constitutionnelle[3].

Historien, Lord Sumption explique que si la Magna Carta incarne l'État de droit, elle n'est pas à son origine : l'idée que le roi était soumis au droit « faisait depuis longtemps partie de la pensée médiévale constitutionnelle, à la fois en Angleterre et ailleurs » même si le droit qui gouvernait les relations entre le roi et ses sujets, très limité, s'apparentait plus à l'époque à un contrat privé qu'à une constitution et portait essentiellement sur la propriété de la terre. La vie de la Magna Carta, en sa première version, a d'ailleurs été très courte puisque dans les trois mois, le Pape Innocent III la dénonçait comme « honteuse », « illégale et injuste », et la déclarait nulle, interdisant au roi de l'appliquer, sous peine d'excommunication. Après la mort du roi en 1216, son fils de 9 ans, Henri III, lui succéda. Le statut de la Magna Carta n'a pu être réglé qu'en 1225 lorsqu'Henry élabora un nouveau texte, amputé d'un certain nombre de dispositions qui limitaient les pouvoirs du juge et auraient pu permettre l'avènement d'une autre source constitutionnelle d'autorité, concurrente du roi.

---

[2] Lord SUMPTION, « Magna Carta then and now. Address to the Friends of the British Library », https://www.supremecourt.uk/docs/speech-150309.pdf

[3] Lord SUMPTION : « Far from being a blueprint for future constitutional development, Magna Carta was really the last gasp of the old order that was passing away ». In the first place, Magna Carta had been directed mainly to protecting the financial interests of tenants-in-chief, a very small group of perhaps 150 to 180 men.

Contrairement à la Déclaration des droits de l'homme et du citoyen, la Magna Carta ne contient pas de grande déclaration de principe[4]. Même les articles 39 et 40 n'avaient pas la portée qu'on leur attribue aujourd'hui. Lord Sumption explique que non seulement ces articles n'avaient pas grand-chose à voir, comme on le croit souvent, avec l'institution du jury[5] mais qu'ils ne furent pas à l'origine de l'Habeas corpus de 1679. Ils visaient à imposer au roi, en lutte contre les barons, les mêmes standards de justice qu'aux juges professionnels. Signe de son peu d'importance, la Magna Carta n'est d'ailleurs pas mentionnée par Shakespeare dans sa pièce, *La Vie et la Mort du roi Jean* (*The Life and Death of King John*), sur le règne (de 1199 à 1216).

La Magna Carta a été redécouverte, au début du XVIIe siècle, par Sir Edward Coke. C'est lui qui fut le principal responsable de l'invention du mythe, le « *chief sinner* » dit Lord Sumption qui dénonce l'erreur de Coke : n'avoir considéré que les sources juridiques, hors de leur contexte historique. Ce catalogue technique de réglementations féodales, Coke l'a transformé en document de base de la constitution anglaise, décrivant notamment les articles 39 et 40 comme de « l'or pur », à l'origine de l'habeas corpus et du procès par jury. Quant aux articles de la Charte qui protégeaient les « libertés » d'un homme, Coke les a traités comme se référant à la liberté du sujet de droit alors qu'ils visaient les privilèges et immunités. Coke a même suggéré que la Magna Carta a été l'origine de la souveraineté parlementaire, alors qu'aucun Parlement n'existait à l'époque[6].

L'analyse de Coke a inspiré les premiers colons américains. La clause de *due process* du 5e et 14e amendement de la Constitution est fondée sur son interprétation de l'article 39. Il n'est pas étonnant, donc, qu'aux États-Unis, la Magna Carta ait eu un retentissement supérieur à celui qu'elle connaissait dans son pays natif. Lord Sumption relève qu'en 1991, aux

---

[4] Lord SUMPTION : « The document is long. It is technical. And it is turgid ». Il ajoute : « Magna Carta may have been an ambitious document for its time, but it is nothing like as ambitious as the *Déclaration des Droits de l'Homme et du Citoyen* ».

[5] Lord SUMPTION : « They were nothing to do with trial by jury (...) Nor were Articles 39 and 40 the origin of Habeas corpus de 1679 ».

Magna Carta, Art. 39 : *No free man shall be arrested or imprisoned or disseised or outlawed or exiled or in any way ruined, nor will we go or send against him, except by lawful judgment of his peers or by the law of the land.*

Magna Carta, Art. 40 : *To no one will we sell, to no one will we deny or delay right or justice.*

[6] Lord SUMPTION : « Coke described Articles 39 and 40 as pure gold, every syllable of which was to be studied. He regarded it as the origin of the writ of habeas corpus and of trial by jury. More generally, Coke took the provisions of the charter which protected a man's "liberties", which actually meant his privileges and immunities, and treated them as referring to the liberty of the subject. He even suggested that Magna Carta was the origin of Parliamentary sovereignty, although no Parliament existed for half a century after it was sealed ».

États-Unis, la Magna Carta avait été citée dans plus de 900 décisions de juridictions étatiques ou fédérales et qu'elle l'avait été, au cours des cinquante dernières années, par 60 décisions de la Cour suprême.

Une recherche sur Westlaw donne les résultats suivants : au Royaume-Uni, la « Carta Magna » est mentionnée dans 200 cas environ, et la « Magna Charta », terme plus ancien, dans 600 décisions environ[7]. Beaucoup de ces 800 références sont tout simplement des citations de cas précédents et une bonne partie concerne le droit privé (droits de la pêche, la liberté du commerce, obligations délictuelles etc.)[8]. Depuis 1900, elle a été mentionnée, presque toujours de manière rhétorique, dans 170 décisions des juridictions supérieures (ce qui est peu vu l'importance des arrêts au Royaume-Uni et des précédents cités), essentiellement à propos de l'article 39 de la Charte[9].

Pour conclure, Lord Sumption soulève ces questions : « peut-être que la première question que nous devrions nous poser est la suivante : avons-nous vraiment besoin de la force du mythe pour soutenir notre foi dans la démocratie ? Devons-nous fonder notre foi dans la démocratie et la primauté du droit sur un texte rédigé par un groupe de millionnaires conservateurs musclés, venus du nord de l'Angleterre, qui pensaient en français, ne connaissaient ni le latin, ni l'anglais, et moururent il y a plus de trois quart d'un millénaire ? J'espère que non ».

En 2015, l'anniversaire de la Magna Carta, s'il a ravivé la foi des Britanniques dans la démocratie et la primauté du droit, a surtout servi à célébrer le droit anglais, l'innovation juridique et le droit « global » dans une

---

[7] Le terme « Magna Charta », plus archaïque, reste utilisé dans des arrêts récents, surtout lorsqu'ils se réfèrent à des cas antérieurs au XXe siècle. On le trouve ainsi, dans *Loose v Lynn Shellfish Ltd* [2014] EWCA Civ 846, parce que Moore-Bick LJ cite Willes J dans *Malcolmson v O'Dea* (1863) 10 HL Cas. 618.

[8] L'auteur remercie Ciara Kennefick pour ces statistiques, accompagnées de ces précisions : Westlaw n'est pas une source exhaustive des décisions rendues depuis 1215. En réalité, une telle source n'existe pas vraiment car les décisions n'ont pas toujours été publiées, comme c'est le cas aujourd'hui. Mais Westlaw contient les *English Reports*, qui comprennent une bonne sélection d'arrêts de 1220 à 1873. Le premier arrêt sur Westlaw contenant le terme « Magna Charta » vient de la Cour de l'Échiquier, et date du 1er janvier 1234 (« Anonyme, (1234) Jenk 1 ; les suivants datent de 1345, 1400, 1485, 1493, 1535 et à partir de là il y en a eu presque un par an (et souvent, beaucoup plus). Naturellement, plus la période est récente, plus les arrêts sont nombreux car, à partir de 1865, le système des *Reports* a été centralisé, mais il y a toujours eu une certaine sélection si bien que tous les arrêts ne sont pas publiés. Autrefois, la « sélection » était plus drastique encore : de Edward I (13e siècle) à 1535, les arrêts publiés l'étaient dans les Year Books, non disponibles sur Westlaw, même si on retrouve quelques arrêts de cette période dans la recherche faite. De 1536-1865, les rapports ont été compilés par des individus : ils sont souvent appelés « nominate » reports. Certains arrêts de 1220-1873 sont reproduits dans les English reports qui sont sur Westlaw.

V. l'annexe à cette communication établie par Ciara Kennefick.

[9] Je remercie Ciara Kennefick pour ces statistiques très évocatrices.

formidable opération de marketing pour le droit anglais[10], dont le sommet a été atteint au « *Global Law Summit* » qui s'est tenu à Londres du 23 au 25 février 2015[11]. Après que l'idée d'une *Magna Carta de l'internet* a été lancée par Tim Berners-Lee (l'inventeur d'internet), pour le plus grand bonheur des organisateurs des célébrations de 2015[12], la British Library a invité à voter sur les différentes clauses proposées par chacun, en vue d'une Magna Carta du numérique[13]. Un document a été créé à partir de 30,000 votes sur 500 clauses[14].

Même détournée de sa fonction à des fins commerciales pour la promotion d'un produit (le droit anglais), la Magna Carta n'en demeure pas moins un socle pour le développement du droit. C'est en cela qu'elle est un mythe fondateur.

II. LA MAGNA CARTA EST UN MYTHE FONDATEUR

En France, n'aurions-nous pas assez rendu justice à la Magna Carta ? Elle n'est pas présentée dans la centaine de pages consacrée au droit anglais du célèbre ouvrage de René David et Camille Jauffret-Spinosi, *Les Grands systèmes de droit contemporain* (11e éd., 2002). Quant à l'édition de 2015 des *Libertés et droits fondamentaux* (qu'utilisent les étudiants français notamment pour le grand oral du CRFPA), si elle mentionne une fois la *Magna Carta*, c'est pour la citer, comme l'un des premiers textes adoptés (avec la Pétition des Droits, 1628, l'Habeas Corpus Act, 1679, et le Bill of Rights, 1689) et préciser qu' « il s'agissait encore d'énoncés de droits concrets sans ambition universelle ou conceptualisante ». Enfin, dans l'ouvrage récemment publié sur le « droit public britannique » il est beaucoup plus question de la *Rule of Law* que de la Magna Carta[15].

---

[10] Rappr. Lord SUMPTION : it « was essentially an international marketing opportunity for British lawyers, described itself on its website as "grounding the legacy and values of Magna Carta in a firmly 21st Century context"» (p. 3).

[11] http://globallawsummit.com (consulté le 20 février 2016).

[12] Magna Carta de l'internet, lancée par Tim Berners-Lee : http://www.theguardian.com/technology/2014/mar/12/online-magna-carta-berners-lee-web, http://www.huffingtonpost.com/tim-bernerslee/internet-magna-carta_b_5274261.html. KISS, J. (2014), « An online Magna Carta : Berners-Lee calls for bill of rights for web », *The Guardian*, 12 mars 2014, http://www.theguardian.com/technology/2014/mar/12/online-magna-carta-berners-lee-web.

[13] http://www.bl.uk/my-digital-rights/vote-now

[14] 8 clauses parmi les 10 les plus choisies mentionnent la liberté d'expression et l'absence de censure, http://www.theregister.co.uk/2015/06/17/british_library_publishes_digital_magna_carta/

[15] A. ANTOINE (dir.), *Le droit public britannique : état des lieux et perspectives*, coll. « Colloques », vol. 27, Paris, Société de législation comparée, 2015.

Il est vrai que les juristes britanniques ne nous ont guère habitués à magnifier ce texte, jusqu'à ce retentissant 800e anniversaire (relevons toutefois que Churchill avait vu, dans la Magna Carta, l'héritage commun des pays de Common Law) et que ce sont peut-être les Américains qui ont donné le plus d'importance à la Magna Carta, à la suite de Thomas Jefferson.

Si la Magna Carta est un mythe, c'est un mythe fondateur, particulièrement précieux face aux nouveaux enjeux contemporains. On en donnera trois exemples.

1. Un débat, très vif au Royaume-Uni comme en France, concerne *le budget de la justice*. 500 millions de livres sterling d'économies étaient faites en 2014 ; 249 millions d'économies étaient prévues pour 2015[16]. Le budget de l'aide judiciaire a été considérablement réduit ; les droits perçus pour agir en justice ont été sensiblement augmentés, parfois jusque 576%[17]. Au-delà des chiffres, c'est toute la politique menée depuis les réformes introduites par Lord Woolf en 1999 qui est concernée : les nouvelles règles de procédure favorisent les transactions et établissent un lien entre l'enjeu du litige et l'argent public dépensé pour faire fonctionner la justice. À maintes reprises ces dernières années, le Lord Chief Justice of England and Wales (Lord Thomas of Cwmgiedd) a exprimé ses préoccupations et alerté les autorités sur le fait que le système risquait de rompre, et que cela ne pouvait être toléré. Aussi a-t-il saisi l'occasion des célébrations de 2015 en l'honneur de la Magna Carta pour mettre en garde contre la poursuite de l'efficacité et de l'économie, qui ne doivent pas faire oublier que l'objectif premier de la justice est d'assurer le respect de la *Rule of Law*. Si le système se rompt « nous perdons notre capacité à fonctionner comme une démocratie libérale capable de prospérer sur la scène mondiale, tout en garantissant l'état de droit et la prospérité chez nous (...) il faut examiner comment réformer notre système de justice pour qu'il soit tout aussi voire plus efficace et puisse remplir sa fonction constitutionnelle »[18] .

---

[16] C. SMITH, « MoJ hit with further £249m of cuts », *Law Gazette*, 4 juin 2015.

[17] Lord PANNICK, Debate on Civil Proceedings and Family Proceedings Fees (Amendment) Order 2015, (Hansard, 4 Mar 2015: Column 310).

[18] Cité in « Delivering Justice in an Age of Austerity », JUSTICE-working-party-report-Delivering-Justice-in-an-Age-of-Austerity.pdf, 2015. À propos de la réduction du budget de la justice, Lord Thomas of Cwmgiedd écrit : « 11. Some would say that with such dramatic reduction, our system will break. But that cannot be permitted. If it breaks we lose more than courts, tribunals, lawyers, and judges. We lose our ability to function as a liberal democracy capable of prospering on the world stage, whilst securing the rule of law and prosperity at home. 12. Our task is therefore to ensure that we uphold the rule of law by maintaining the fair and impartial administration of justice at a cost the State and litigants are prepared or able to meet. We can only do that by radically examining how we recast the justice system so that it is equally if not more efficient, and able to carry out its constitutional function ».

2. Invoquer la Magna Carta, c'est aussi, pour les Britanniques, nouer un lien entre l'État de droit et l'un des premiers droits fondamentaux de l'être humain, *la sécurité*. C'était à Londres, le 12 novembre 2015, la veille des attentats de Paris. Sir Brian Leveson, président de la Queen's Bench Division de la High Court, prononçait une conférence intitulé « Sécurité et justice »[19]. Après avoir d'emblée précisé qu'il ne pourrait parler du projet de loi sur le renseignement en discussion au Parlement, il évoquait la tension entre justice et sécurité et rappelé que le premier devoir du gouvernement était d'assurer la sécurité[20]. De son côté, la loi contre le terrorisme et sur la sécurité (Counter-Terrorism and Security Act (CTS Act)), adoptée en mars 2015, donne de vastes pouvoirs au gouvernement. La 5e partie de cette loi rend la stratégie de prévention obligatoire, notamment au sein des écoles et universités. Le personnel de ces institutions a une obligation d'empêcher les élèves ou étudiants d'être entraînés dans le terrorisme. Le projet a suscité de vives critiques au regard de la liberté d'expression. Des pétitions ont circulé, expliquant que ce projet transformait les fières célébrations du 800e anniversaire en une farce absolue : « *Farewell Magna Carta !* »[21]. La loi a finalement été adoptée, tempérée par une référence à la liberté d'expression pour le monde académique.

3. La fécondité de la Magna Carta découle aussi de son utilisation judiciaire discrète mais efficace dans le climat eurosceptique qui règne au Royaume-Uni car elle donne un argument de poids à ceux qui s'opposent *aux systèmes européens de protection des droits fondamentaux*. Après la crise provoquée par les décisions de la Cour européenne des droits de l'homme sur le droit de vote des détenus et au moment où le débat sur le référendum et la sortie de l'UE bat son plein, célébrer la Magna Carta n'est pas neutre. Comme l'a mis en lumière Lady Hale, après plus d'une décennie où l'on s'est concentré sur les instruments européens, il y a un retour vers la Common Law et plus spécifiquement vers les principes constitutionnels du Royaume-Uni comme source légale d'inspiration, qui peut soit élargir, soit restreindre les droits. Certains jugements mettent ainsi en exergue le fait que si le Royaume-Uni abrogeait le *Human Rights Act* de 1998 qui intègre en droit anglais la Convention européenne des droits de l'homme, il resterait

[19] Sir Brian Leveson est président de la queen's bench division 'security and justice' : https://www.judiciary.gov.uk/wp-content/uploads/2015/11/berlin-lecture-nov-2015.pdf : We must, of course, recognise that the primary philosophy underpinning litigation, whether in the civil, criminal or family courts, is to secure the rule of law.

[20] Il l'a fait sous l'angle de la procédure, et notamment du concept of closed material proceedings in which one party to litigation is not provided with or able to challenge documents upon which his opponent, the State, relies but which are available to the judge.

[21] F. WEBER, 19 janvier 2015, https://www.opendemocracy.net/ourkingdom/frances-webber/farewell-magna-carta-counterterrorism-and-security-bill

encore les « Common Law Rights », fondés sur la Magna Carta. Lord Mance, analysant les rapports entre les droits issus de la Common Law et ceux émanant de la CEDH, explique ceci : le point de départ naturel de tout litige est le droit interne et il ne faut pas se concentrer sur la seule convention, sans examiner plus largement la scène de la Common Law[22]. Lord Toulson le dit aussi, de manière forte : le but du *Human Rights Act* de 1998 n'était pas que la Common Law « devienne un ossuaire »[23].

Point de « libertés à l'abandon » donc en cas de sortie du Royaume-Uni des systèmes européens de protection des libertés (le raisonnement, qui vaut pour la Convention européenne des droits, vaudrait également pour la Charte des droits fondamentaux de l'Union européenne) : la Magna Carta et le mouvement de « renaissance of UK constitutional rights »[24] y pourvoiront.

En conclusion, la Magna Carta incarne un héritage et des valeurs, un patrimoine constitutionnel commun. Elle est un socle pour le développement du droit, une force de changement. C'est ce qui en fait toute sa valeur. La Magna Carta fait partie du cadre historique européen commun[25]. Elle est un symbole, un « arbre vivant », sur lequel les juristes britanniques peuvent s'appuyer à condition de rejeter toute lecture originaliste et d'en privilégier une interprétation dynamique et téléologique (selon des méthodes européennes qui leur sont de plus en plus familières). Dans le même temps, comme l'a si bien dit Robert Badinter dans son rapport de synthèse de cette journée consacrée à Roger Errera et à la Magna Carta, « une justice européenne sans nos amis britanniques serait un coup terrible porté aux descendants de la Magna Carta ».

---

[22] *Kennedy v The Charity Commission*, [2014] UKSC 20, [2014] 2 WLR 808, At [46] : « the natural starting point in any dispute is to start with domestic law, and it is certainly not to focus exclusively on the Convention rights without surveying the wider common law scene », cité par Lady HALE, discours prononcé le 12 juillet 2014 à la Constitutional and Administrative Law Bar Association et significativement intitulé « UK Constitutionalism on the March » ?, https://www.supremecourt.uk/docs/speech-140712.pdf.

[23] *Kennedy v The Charity Commission*, [2014] préc., At [133].

[24] Lady HALE, préc., note 22.

[25] L'historien, et le comparatiste, doivent le relever. D'autres chartes ont été promulguées à cette époque : l'une en Lombardie en 1183, faisant partie du Traité de Constance de F. Barberouse, une autre de 1188, promulguée par Léon X. En 1222, la Golden Bull (Hongrie). One was issued in Lombardy in 1183, as part of the Treaty of Constance, by Frederick Barbarossa Another was issued in 1188 by Alfonso X of Leon. In 1220 Emperor Frederick II got in on the act. In 1222 the Golden Bull was issued by Andrew II of Hungary.

ANNEXE : Magna Carta / Magna Charta in private law[26]

1. It has sometimes been relevant as *a legal principle which was relevant on the facts* (one could make an analogy with the ECHR here). Here is an example from commercial law:

In *Hugh Stevenson & Sons, Limited v Aktiengesellschaft für Cartonnagen-Industrie* [1917] 1 KB 842, it was held that a partnership between an English company and a German company was dissolved by the outbreak of war on August 4, 1914. The English company continued to operate the business after this date using the capital which had been provided by the German company. The question was whether the German company had a right to the profits which were made after this date or to interest on the capital which it had provided. At first instance, it was held that the German partner could not make such claims and that the English partner had a right to purchase the share of the enemy partner at a valuation. However, this decision was firmly rejected in the Court of Appeal. In support of the point relating to interest, Swinfen Eady LJ stated that "interest must run in favour of an enemy during the war, although not then actually payable to him" and he cited the following passage from a case decided in 1817 : *"By Magna Charta merchant strangers are, upon the breaking out of a war, to be attached and kept without harm to body or goods, until it shall be known how the English merchants are treated by the sovereign of their State, and if the latter are safe there, the former are to be safe here.* So that foreign merchants could suffer nothing in England unless by way of retaliation and reprisal": per Lord Ellenborough in *Wolff v. Oxholm* (1817): *Hugh Stevenson & Sons, Limited v Aktiengesellschaft für Cartonnagen-Industrie* [1917] 850.

2. More generally, Magna Carta (or Magna Charta) is also *a key point of reference in English legal culture* (which is very visible in private law cases). Therefore, it is used in judicial discourse even though it is not relevant on the facts. Perhaps the ECHR has not yet achieved this status. Here are two examples of magna carta being cited in this way from different area of private law:

a) *Company Law:* In *In re Lehman Bros International (Europe) (in administration) (No 4)* [2015] Ch 1 David Richards J stated in the High Court that "Modern company law began with the Companies Act 1862 (25 & 26 Vict c 89), a statute described by Sir Francis Palmer as *the "magna carta of co-operative enterprise"*. Among the many reforms which the Companies Act 1862 introduced or consolidated was a simple process of

---

[26] Annexe rédigée par Ciara KENNEFICK.

registration of companies. It provided for the three types of registered company, which remain today with little amendment. They are companies limited by shares, companies limited by guarantee and unlimited companies": *In re Lehman Bros International (Europe) (in administration) (No 4)* [2015] Ch 1 [129]. Briggs LJ also cites a part of this passage in the Court of Appeal: *In re Lehman Bros International (Europe) (in administration) (No 4)* [2015] 3 WLR 1205 [182].

b) Contract law/ land law:

i) In *Dennett v Atherton* (1872) LR 7 QB 316, counsel for the plaintiff argued that '…*Hurd v Fletcher* (Doug 43) … is very analogous to the present case. After stating the facts of that case, Lord St. Leonards, at p. 516, proceeds: "It may be proper to mention that the case of *Butler v. Swinnerton* (Cro Jac 656), which (to borrow an expression of Lord Kenyon's) is *the magna charta of the liberal construction of covenants for title…*" *Dennett v Atherton* (1872) LR 7 QB 316, 322.

In *Cholmondeley v Clinton* (1820) 2 Jac & W 1, counsel for the defendant observed that "The doctrine respecting the protection afforded to purchasers and incumbrancers by outstanding estates is now firmly established: the case of *Willoughby v. Willoughby* (1 T. R. 763), decided by Lord Hardwicke, may, to use the expression applied by Lord Kenyon to *Pells v. Brown* (Cro. Jac. 590) upon executory devises, be called *the Magna Charta of this branch of the law*": *Cholmondeley v Clinton* (1820) 2 Jac & W 1, 52.

PREMIÈRE PARTIE

Democracies and human rights. The heritage and the challenge[*]

« Pro salute anime nostre et omnium antecessorum et heredum nostrorum »[**]

[*] R. ERRERA, « Democracies and Human Rights. The Heritage and the Challenge », Atlantic Community Quarterly, été 1987, p. 189.

[**] Pour le salut de notre âme et de celle de nos ancêtres et leurs héritiers / *for the health of our soul and those of our ancestors and heirs* (Magna Carta, paragraphe introductif).

UNE INTRODUCTION HISTORIQUE SUR MAGNA CARTA ET SON RAYONNEMENT

Sir Michael TUGENDHAT*

Je vous remercie de m'avoir invité à prendre la parole. Mes remerciements pour cet honneur s'adressent en particulier à Roger Errera lui-même. C'est grâce à son amitié que j'interviens dans ce colloque.

Roger Errera écrit « L'anglomanie systématique n'est plus de mode, mais la connaissance des institutions britanniques peut, en fait de libertés, conduire à des remarques suggestives »[1].

Roger Errera n'était pas un anglomane mais il était un anglophile. L'intérêt commun que Roger Errera et moi portions à la liberté d'expression et à la protection de la vie privée est à l'origine de notre amitié. Il y a 15 ans environ il y avait peu de doctrine écrite en anglais sur la protection de la vie privée. Parmi les meilleurs se trouvaient les articles écrits par Roger Errera. Tout ce que Roger Errera a écrit en anglais au sujet des lois anglaises a été écrit dans un style, et à un niveau de qualité égal à celui des meilleurs juristes de langue anglaise. Roger Errera et ses écrits sur des sujets divers m'ont aidé en tant qu'avocat, en tant qu'auteur d'un livre de droit, et plus tard en tant que juge.

Le document que nous appelons la Magna Carta ou la Grande Charte a été publié par Jean sans Terre en 1215. Le régent durant l'enfance d'Henry III avec le légat du pape, ainsi que tous les rois qui ont suivi Jean, ont publié

---

* Sir Michael Tugendhat est un ancien Juge à la High Court of England and Wales et Honorary Professor of Law à l'Université de Leicester.

[1] R. ERRERA, *Les Libertés à l'abandon*, Seuil, 1968, p. 248.

des versions ultérieures jusqu'à ce que ce texte devienne loi, en 1297[2]. Certains de ses articles sont toujours en vigueur et sont souvent cités par les plus hautes cours du Royaume-Uni, des États-Unis et d'autres pays anglophones. Tous les textes de la Magna Carta ont été écrits en latin, mais il y eut des traductions françaises contemporaines. Une copie de la traduction française la plus ancienne date de 1215. Elle se trouve à la Bibliothèque Municipale de Rouen. Selon le Professeur Holt, elle est écrite en bon français. Elle contient quelques expressions anglo-normandes, mais peu[3].

Les barons et le roi étaient tous normands ou francophones. Certains d'entre eux comprenaient sans doute aussi un peu le latin et parlaient anglais au gens du peuple. Un membre de la famille d'un des chefs des barons, le Comte d'Aumale, est présent ici aujourd'hui en la personne du Général d'Aumale[4]. Si les juristes anglais citaient souvent la version originale en latin pendant les siècles qui ont suivi 1215, la première traduction écrite en anglais n'a été faite qu'au seizième siècle, trois cents ans plus tard.

Ces faits illustrent le point principal que je veux faire aujourd'hui. La Grande Charte est le produit de la culture européenne du treizième siècle dans son ensemble. C'est en particulier le produit, non seulement de la culture anglo-saxonne qui a précédé la conquête de Guillaume, Duc de Normandie, mais aussi de la culture francophone, dont Paris était le centre prééminent en Europe du nord.

On célèbre la Grande Charte comme représentant les principes de liberté et de *Rule of Law*. Cette charte prévoit aussi la séparation de l'Église et de l'État. Mais ce n'est pas l'invention de ces principes dont les Anglais ont le droit d'être fiers. Ce dont ils doivent être fiers est que les personnes de langue anglaise, à la fois en Angleterre, et en tant que colons en Amérique, ont combattu victorieusement pour ces principes pendant des siècles. Pendant plus

---

[2] Le régent pour Henry III et le légat du pape avaient apposé leurs sceaux à deux versions en 1216 et à une autre version en 1217. C'est la version de 1217 qu'on a appelé la Magna Carta. C'est parce qu'une partie des chartes précédentes avait été publiée en deux nouvelles chartes, une grande, que nous appelons la Magna Carta, et une plus petite, qui traitait de la loi des forêts. D. CARPENTER, *Magna Carta*, Penguin, 2015, 4-8, 408.

[3] MS. Y 200, fos. 81-87 v. *The English Historical Review*, Vol 89, No. 351 (Apr., 1974) p. 346-56 350. Les citations dans le programme du colloque étaient écrites : « pur le sauvement de nostre alme, e de toz nos ancestres, e de noz eirs » (paragraphe introductif) ; « Et nos ne porchacerons d'alcun, par nos ne par altrui, rien par quei alcuns de ces otreiemenz o de cestes franchises seit rapelez o amensusiez » (Art. 61) ; « A nulli ne vendrons, a nullui n'escandirons, ne ne porloignerons dreit ne justise » (Art. 40).

[4] B. ENGLISH, *The Lords of Holderness 1086-1260*, Hull University Press, 1991 ; J et G d'AUMALE, *Histoire de la Maison d'Aumale: ci 1175-2014* (9782954353203 DL 2014 [Paris]).

de cinq siècles les personnes de langue anglaise ont eu la chance de réussir mieux que d'autres dans la lutte pour la liberté. À la fin du dix-huitième siècle ils avaient réussi en grande partie à établir la liberté en Angleterre et en Amérique. Au XXe siècle, les sujets de l'Empire britannique se sont servis des mêmes principes pour gagner leur indépendance.

Ce n'est pas simplement les origines philosophiques de la Grande Charte qui résident en France. Ni le roi Jean en juin 1215, ni le régent d'Henry III en novembre 1216, n'auraient publié les chartes sans que les armées françaises de Philippe Auguste ne les y obligent. En 1216, il était impératif d'obtenir le soutien des barons pour l'enfant roi contre le Dauphin.

Bouvines est le site de la bataille où Philippe Auguste remporte une victoire contre l'allié du roi Jean, l'Empereur romain germanique Otton IV, en juillet 1214. Ayant perdu ses terres en Normandie et en Aquitaine, Jean a besoin d'argent pour financer la guerre. Mais beaucoup de barons refusent de payer. Jean commence alors à saisir arbitrairement leurs biens. Ces saisies lui avaient valu d'être appelé tyran. Beaucoup de barons se sont rebellés. La publication de la Grande Charte par le roi Jean en 1215 ne produit qu'une courte pause dans la rébellion des barons.

Bouvines est décrite comme « l'une des batailles les plus décisives jamais livrées »[5]. Elle met fin à l'empire angevin, assure la suprématie de la France, et conduit à la Grande Charte. Elle rend le roi Jean trop faible pour résister aux demandes de ses barons. Quand le roi Jean meurt en octobre 1215, Londres est occupé par l'armée française qui soutenait la rébellion des barons. À la place d'Henry III, les rebelles veulent faire du Dauphin le roi d'Angleterre.

Au douzième siècle, à l'Université de Paris, beaucoup des plus célèbres professeurs sont français, tels Abélard et Pierre le Chantre, morts en 1197. Mais professeurs et étudiants venaient de toute l'Europe à Paris. Je vais parler de trois d'entre eux en particulier : deux anglais et un italien.

Jean de Salisbury est un élève d'Abélard. Bien que né en Angleterre, il reçoit toute son éducation à Paris. Devenu évêque de Chartres, il meurt en France en 1180. Il est l'auteur de *Policraticus*[6], l'une des premières œuvres médiévales sur ce que nous appelons la science politique. Il est aussi ami et conseiller de Thomas Beckett dans le conflit sur la séparation de l'Église et de l'État en Angleterre qui oppose celui-ci au père du roi Jean, Henry II.

Jean de Salisbury fait partie de l'école de pensée antimonarchique. Il fait la distinction entre un prince et un tyran. Un prince est un souverain qui

[5] CARPENTER (n3) 287.
[6] C. NEDERMAN ed., *John of Salisbury : Policraticus*, Cambridge, 1990.

respecte lui-même la loi et les libertés du peuple. Un tyran est un souverain qui piétine la loi et oppresse le peuple. Jean de Salisbury enseigne que la résistance à l'oppression est justifiée et qu'il peut même être juste de tuer un tyran. Il écrit aussi qu' « il est une folie et une iniquité de vendre la justice »[7].Ceux qui se rebellèrent contre le roi Jean déclarèrent que c'était un tyran.

Deux autres étudiants étrangers de l'Université de Paris pendant la même période sont l'anglais Stephen Langton, futur Archevêque de Cantorbéry, et l'italien Lotario dei Conti di Segni qui deviendra le Pape Innocent III. Innocent III nommera son ami Langton Archevêque de Cantorbéry.

Le roi Jean s'oppose d'abord à la nomination de Langton, en partie parce que Langton a peu de connaissance de l'Angleterre : il a passé toute sa vie d'adulte à Paris.

Plus tard Langton devient le premier des conseillers dont les noms sont cités par Jean dans la version de la Grande Charte de 1215. La Grande Charte reflète les idées antimonarchiques que Langton enseignait à Paris. Les historiens contestent que Langton ait, ou n'ait pas, directement contribué à la rédaction de la Grande Charte[8]. Certains disent qu'il ne peut avoir aidé à la rédaction : si un professeur de Paris avait aidé, la charte aurait été beaucoup mieux écrite qu'elle ne l'est ! La version de 1215 de la Grande Charte comportait aussi un défaut important. L'article 61 établissait la procédure en vertu de laquelle les barons pourraient faire respecter les promesses du roi devant un tribunal. C'était l'un de ses éléments positifs. Mais le défaut était que le tribunal se composait de 25 barons. Donc les barons seraient juges dans leur propre cause. Cet article n'apparaissait pas dans les versions de la Grande Charte publiées après celle de 1215 qui avait été annulée par le pape. Le principe *quia aliquis non debet esse judex in propria causa, imo iniquum est aliquem sui rei esse judicem* était reconnu.

La Grande Charte n'est pas une déclaration de principes dans le style de la Déclaration des Droits de l'Homme et du Citoyen de 1789. Mais au treizième siècle, tout comme aujourd'hui, les juristes et philosophes pouvaient saisir le principe qu'une loi incarne, que la loi exprime ce principe ou non.

Un des principes de la Grande Charte est que le roi n'est pas la source de la loi. Plutôt le roi est soumis à la loi. L'article 39 protège la liberté et la

---

[7] *Policraticus* III.15 ; V.11 (n6) p. 25 et 93.

[8] CARPENTER (n3) 259 ; J. BALDWIN, *Due Process in Magna Carta*, in R. GRIFFITHS-JONES and M. HILL (eds) *Magna Carta, Religion and the Rule of Law*, Cambridge, 2015, 31.

propriété : « Aucun homme libre ne sera saisi, ni emprisonné ou dépossédé de ses biens, ... sans un jugement légal de ses pairs, conforme aux lois du pays ».

Jean de Salisbury, Langton et d'autres membres de la Faculté de Paris se réfèrent aux textes de la Bible pour soutenir leur enseignement que le roi ne fait pas la loi, mais est lui-même assujetti à la loi. Jean de Salisbury et Langton citent tous deux le même passage du *Deutéronome*[9] :

« Lorsqu'il montera sur le trône royal, il devra écrire sur un rouleau, pour son usage, une copie de cette Loi, sous la dictée des prêtres lévites. Elle ne le quittera pas ; il la lira tous les jours de sa vie, pour apprendre à craindre Yahvé son Dieu en gardant toutes les paroles de cette Loi, ainsi que ces règles pour les mettre en pratique ».

Le principe biblique que même le roi est assujetti à la loi est à l'opposé du principe de droit de la Rome Impériale : *Quod principi placuerit, legis habet vigorem* – la volonté du prince a force de loi.

Bien que le texte de la Grande Charte, accepté par le roi Jean, ait été annulé par le Pape quelques mois après son édiction, la réédition de la Grande Charte au nom de Henry III créait un précédent. Pour le restant du siècle, quand un roi veut le soutien des barons, ou lever des impôts pour son gouvernement, il est devenu admis qu'il publie la Grande Charte à nouveau. Plus tard il devient admis qu'avant que les représentants de ses sujets ne consentent aux taxes que le roi demande, ce dernier doit consentir à des lois pour répondre à leurs doléances. Ceci devient et demeure un des principes fondamentaux de la Constitution d'Angleterre.

Les idées qui sont à l'origine de la Grande Charte et que Jean de Salisbury avait apprises à Paris, et qu'il avait enseignées lui-même, se retrouvent aux siècles suivants. Au quinzième siècle elles se retrouvent dans les écrits de Sir John Fortescue, ancien Chief Justice. Il cite aussi le même passage du *Deutéronome*, et écrit : « Le roi ne peut pas saisir les biens de ses sujets sans leur faire une juste indemnité. Il ne peut pas par lui-même ... demander des subsides... ; il ne peut ni changer les lois, ni faire de nouvelles lois, sans le consentement de tous ses sujets réunis dans un Parlement ; ... »[10].

---

[9] Deut 17:18-19 ; *Policraticus* IV.4, IV.6.

[10] S. LOCKWOOD ed., FORTESCUE, *On the Laws [de Laudibus Legum Angliae]*, Cambridge, 1997, Ch I et Ch XXXVI.

Aux seizième et dix-septième siècles ces idées se retrouvent dans les écrits de Thomas More (1478-1535)[11], Edward Coke (1552-1634) et autres. Selon Coke « il a souvent été dit qu'une loi promulguée contre la Grande Charte doit être nulle »[12]. À son procès en 1535 More prétend que la loi anglaise qui fait d'Henry VIII le Chef de l'Église Anglicane est contre l'Article 1 de la Grande Charte (« l'Église Anglicane sera libre ») est nulle[13]. Au dix-septième siècle ces idées se retrouvent dans les écrits des Puritains, tel John Milton (1608-1674). Ces idées conduisent au procès et à l'exécution de Charles 1er en 1649 et au détrônement du roi Jacques II en 1688, parce qu'ils prétendaient être au-dessus de la loi. Ces idées ont aussi été développées par les auteurs français du seizième siècle et ont contribué aux évènements de 1789 et à l'exécution du roi Louis XVI en 1793[14].

Jean-Louis de Lolme était un des « anglomanes » au dix-huitième siècle. Selon lui, lors de la révolution anglaise de 1688 « Par l'expulsion d'un Roi violateur de ses sermens la doctrine de la résistance, cette ressource finale des peuples que l'on opprime, fut mise à l'abri du doute »[15].

Les principes de liberté, la propriété, la sûreté, la résistance à l'oppression, et la nécessité du consentement du peuple à une contribution publique sont à la base de la Grande Charte. En 1789, ces principes ont été énoncés dans la Déclaration des Droits de l'Homme et du Citoyen :

Art. 2. … Ces droits sont la liberté, la propriété, la sûreté, et la résistance à l'oppression.

Art. 7. Nul homme ne peut être accusé, arrêté ni détenu que dans les cas déterminés par la Loi, et selon les formes qu'elle a prescrites…

Art. 14. Tous les Citoyens ont le droit de constater, par eux-mêmes ou par leurs représentants, la nécessité de la contribution publique, de la consentir librement, …

Art. 17. La propriété étant un droit inviolable….

La Grande Charte et la Déclaration des Droits sont membres de la même famille[16].

---

[11] *Tyrannicida : Complete Works of St Thomas More* 3, 1 78-93, Yale, 1974 ; MORE, *Utopia*, Cambridge University Press, 2002.

[12] 2 *Institutes* p. 43 et 45.

[13] R. H. HELMHOLZ, « Natural Law in the Trial of Thomas More », in H. A. KELLY, L. KARLIN and G. WEGEMER, *Thomas More's Trial by Jury*, Boydell & Brewer, 2011, 66 ; (1535) 1 State Trials 385 393.

[14] B. KRIEGEL, *La République et le Prince moderne*, PUF, 2011.

[15] J.-L. de LOLME, *Constitution de l'Angleterre*, Amsterdam, 1778, 48.

[16] M. TUGENDHAT, *Les Droits et l'Oubli – 1789*, 2014, 25 KLJ 394-425.

ÉTAT DE DROIT, LIBERTÉS EN FRANCE PERSPECTIVES HISTORIQUES

L'INACHEVÉ DU DROIT

Guy CANIVET*

« Le monde ne sera guère attentif à nos paroles, il ne s'en souviendra pas longtemps, mais il ne pourra jamais oublier ce que les hommes firent. C'est à nous les vivants de nous vouer à l'œuvre inachevée que d'autres ont si noblement entreprise ».

Discours du président Abraham Lincoln, le 19 novembre 1863, à Gettysburg.

1. Le rapport entre l'État de droit et les libertés semble *a priori* très simple : l'État de droit étant celui qui se soumet au droit, il ne peut que respecter les droits protecteurs des libertés[1]. Et la règle de droit à laquelle se plie l'État étant la seule sanctionnée selon un système de type juridictionnel organisé par l'État, seul l'État de droit peut garantir effectivement l'exercice des libertés. La relation est donc circulaire : il n'y a pas de libertés sans État de droit et il n'y a pas d'État de droit sans libertés[2].

2. Cependant, dans la perspective historique qu'il m'est demandé de présenter, les rapports entre l'État de droit et les libertés ne sont pas si

---

* Membre du Conseil constitutionnel, Premier président honoraire de la Cour de cassation.

[1] F. JULIEN-LAFERRIÈRE, *L'État de droit et les libertés, Mélanges Mourgeon – Pouvoir et libertés*, L'Harmattan, 2001, p. 153 et s. ; K. TUORI, *L'État de droit, Traité international de droit constitutionnel*, t. I, Dalloz, 2012, p. 644 et s.

[2] J. CHEVALLIER, *L'État de droit*, Paris, Montchrestien, 1992 ; M. PROPER, « Le concept d'État de droit », *Droits*, n° 15, 1992, p. 51 ; E. MILLARD, « L'État de droit : Idéologie contemporaine de la démocratie », in P. CABANEL, J.-M. FÉVRIER (éd.), *Question de démocratie*, Presses universitaires du Mirail, 2001, pp. 415-443.

simples. Ils dépendent évidemment de la conception de l'État de droit qui s'est forgée au cours du temps. Dans sa progression, la concrétisation de ce concept, comme on le sait, né dans la doctrine allemande du XIXe siècle (*Rechtsstaat*)[3], pose la question, pour certains, insoluble, de la conciliation entre trois éléments en tension : un État gouverné par le droit, le principe démocratique selon lequel le droit est borné à la loi expression de la souveraineté alors que la protection des libertés procède de principes juridiques supérieurs à la loi. Dans la pensée juridique des XIXe et XXe siècles, une synthèse s'est néanmoins dégagée pour parvenir à la version moderne livrée par Jacques Chevallier : « L'État de droit implique que la liberté de décision des organes de l'État est, à tous les niveaux, limitée par l'existence de normes juridiques supérieures, dont le respect est garanti par l'intervention d'un juge ». Selon cette définition, « Le juge est donc la clef de voûte et la condition de réalisation de l'État de droit : la hiérarchie des normes ne devient effective que si elle est juridiquement sanctionnée »[4]. La réalisation en France de l'État de droit, en tant que garant des libertés, est finalement marquée par la satisfaction progressive et relative des conditions posées par cette définition. En suivant cette progression, il est observable qu'à une période d'imperfection systémique a succédé une phase de perfectionnement théorique dont on se demandera si elle conduit à l'achèvement de l'État de droit.

I. L'IMPERFECTION SYSTÉMIQUE DE L'ÉTAT DE DROIT

3. Dans la dimension formelle, comprise comme la limitation du pouvoir de l'État par des règles qu'il s'impose ou qui lui sont commandées par des principes supérieurs, on ne peut affirmer que l'Ancien Régime ne répond à aucun des critères de l'État de droit. C'est toutefois en contestant cette forme de l'État que la Révolution de 1789 proclama les droits et les libertés auxquels la puissance publique doit se conformer ainsi que le dogme de souveraineté de la loi. Mais elle le fit en écartant la soumission des pouvoirs exécutif et législatif à la sanction juridictionnelle du respect de la légalité[5]. Dans un cas comme dans l'autre, l'État de droit fut, par principe, imparfait[6].

---

[3] L. HEUCHLING, *État de droit, Rechtsstaat, Rule of Law*, Paris, Dalloz, 2002.

[4] J. CHEVALLIER, *op. cit.*

[5] O. BEAUD, « L'histoire du concept de constitution en France. De la constitution politique à la constitution comme statut juridique de l'État », *Jus Politicum, Autour de la notion de Constitution*, n° 3, 2009.

[6] B. BARRET-KRIEGEL, *L'État et les esclaves*, Petite bibliothèque Payot, 1995.

A. – *L'État de droit formel*

4. En référence rétrospective à la notion moderne d'État de droit, deux de ses éléments caractéristiques se retrouvent dans la phase terminale de l'Ancien Régime. Le premier est le contrôle des actes du Roi par une juridiction qui s'est donné le pouvoir de les paralyser, au moins provisoirement, par le droit de « Remontrance », le second est dans le respect d'un droit coutumier d'essence supérieure mais tolérant l'absolutisme et organisant l'inégalité.

1. La limitation du pouvoir royal

5. En premier lieu, l'histoire juridique de l'Ancien Régime montre que le Parlement de Paris s'est progressivement donné le pouvoir de contrôler la conformité des lois du Prince, c'est-à-dire les ordonnances, édits ou déclarations du Roi – en référence aux « lois fondamentales du Royaume » finalement dites, au XVIIIe siècle, « lois fondamentales de la Nation », qui constituent les bases constitutionnelles de la monarchie tirées de la Coutume et s'imposant au pouvoir royal. De ces lois fondamentales, le Parlement de Paris énonce souverainement la substance, instaurant par ce moyen une forme de contrôle juridictionnel sur le pouvoir politique par un juge qui se proclame détaché des sources royales de son autorité[7]. C'est la forme primaire du contrôle de constitutionnalité.

2. L'ignorance des libertés

6. Il est tout aussi incontestable que le droit d'Ancien Régime est inspiré de normes supérieures tirées d'un droit sinon naturel, du moins d'essence coutumière, partiellement au moins d'inspiration religieuse. Mais précisément, sur des points essentiels, ce droit coutumier n'était pas protecteur des libertés au sens moderne. C'est alors en réaction aux violations systémiques des libertés provoquées par ce régime et ressenties comme intolérables, en particulier l'arbitraire de la loi pénale et les privilèges de classe, que se sont forgés les principes de la Révolution[8].

7. Selon une Déclaration du Parlement de Paris du 3 mai 1788, les lois fondamentales du Royaume comprennent néanmoins, outre les règles de la monarchie, le consentement à l'impôt par la Nation réunie en États

---

[7] P. PICHOT-BRAVARD, *Histoire constitutionnelle des Parlements de l'Ancienne France*, Ellipses, 2012.

[8] J. KRYNEN, *L'Emprise contemporaine des juges, L'État de justice (France, XIIIe-XXe siècle) II*, Gallimard, 2012.

Généraux, le droit de chaque citoyen à son juge naturel, le droit de n'être arrêté par quelque ordre que ce soit que pour être remis entre les mains des juges compétents enfin celui de l'inamovibilité des juges. On sent ici l'influence corporatiste autant que celle des « Lumières ». Mais, au-delà du doute sur l'effectivité de ces garanties, ces lois fondamentales affirment aussi la division de la société en trois ordres et les privilèges de la noblesse, organisant une société bloquée décrite par Tocqueville en des pages lumineuses[9]. Le maintien de ces inégalités était fermement garanti par les juridictions d'Ancien Régime profondément conservatrices, au point de s'opposer à toutes réformes ; juridictions elles-mêmes composées de membres jouissant des privilèges de la noblesse : la noblesse de robe. Ceci explique que les juges aient été rejetés avec les privilèges dont ils étaient tout autant les représentants que les gardiens ; un rejet profondément ancré dans la mentalité collective et écartant pour longtemps toute institution d'un véritable pouvoir judiciaire[10].

B. – *L'État de droit légal*

8. Ainsi, le droit révolutionnaire s'est édifié sur la reconnaissance de droits et libertés naturels transcendant l'ordre juridique. Mais si, de l'État de droit, on retrouve la soumission de tous les pouvoirs à ces principes supérieurs, la garantie de la hiérarchie des normes et du respect des libertés fondamentales par un juge est en revanche écartée, de sorte que ce que l'on désigne comme l'État légal ne sort pas de la phase d'inachèvement[11]. « Faute de moyens de recours contre les lois, la France ne s'est pas élevée jusqu'à la perfection de l'État de droit » écrit Carré de Malberg[12].

1. Les déclarations des droits

9. La première caractéristique juridique de la Révolution est la Déclaration des droits de l'homme et du citoyen affirmant les libertés dans leur conception issue de la philosophie des Lumières et gouvernant les

---

[9] *L'Ancien Régime et la Révolution*, Paris, Garnier-Flammarion, n° 500 (édition F. Mélonio).

[10] P. PICHOT-BRAVARD, *op. cit.*

[11] M.-J. REDOR, *De l'État légal à l'État de droit. L'évolution des conceptions de la doctrine publiciste française, 1879-1914*, Paris, Economica, 1992.

[12] R. CARRÉ de MALBERG, *Contribution à la théorie générale de l'État*, Sirey, 1920-1922, p. 492, rapporté par J. CHEVALLIER, *L'État de droit, chefs, politique*, Ed. Montchrestien, 2e éd., 1994, p. 30.

règles d'une Constitution écrite[13]. Cette constitution est inspirée du principe de séparation des pouvoirs et elle affirme la souveraineté de la loi[14]. La seconde caractéristique du droit issu de la Révolution est la constitution d'un corpus de règles écrites rationnellement organisées dans des codes ; le code civil et le code pénal en sont les premiers avatars[15]. Ainsi l'État est gouverné par le droit, et le droit, soumis à des principes supérieurs, est transposé dans des textes accessibles à tous qui garantissent les libertés.

2. La mise à l'écart du juge

10. Manque toutefois un aspect essentiel de l'État de droit : la garantie du respect de ces normes supérieures par un juge. D'une part, les juges ne peuvent ni compromettre l'exercice du pouvoir législatif, ni suspendre l'exécution des lois. Ainsi est écarté le contrôle juridictionnel de la conformité de la loi aux droits et libertés garantis par la Déclaration des droits, ce qui prive d'effectivité tant la hiérarchie des normes que les libertés fondamentales. Il est, d'autre part, interdit aux juges de s'immiscer dans l'activité de l'administration. Pour longtemps, la loi échappera à toute juridiction ; pour toujours, l'exécutif échappe au droit commun[16]. Sur ces deux éléments portera l'évolution de l'État de droit selon les lignes tracées par la doctrine du droit public au cours des XIXe et XXe siècles qui restitue au juge un rôle central[17]. S'ouvre alors une phase de perfectionnement théorique de l'État de droit.

II. LE PERFECTIONNEMENT THÉORIQUE DE L'ÉTAT DE DROIT

11. Dès après la Révolution, au XIXe siècle, le juge judiciaire ne fut jamais contesté ni dans son pouvoir d'application de la loi pénale ni dans celui de régler les litiges privés. Au cours de cette période, le pouvoir jurisprudentiel de la Cour de cassation placée au sommet de l'organisation

---

[13] G. CONAC, *La Déclaration des droits de l'homme et du citoyen de 1789 : histoire, analyse et commentaires*, Economica, 1993.

[14] M. MORABITO, *Histoire constitutionnelle de la France de 1789 à nos jours*, LGDJ, 13e éd. 2014.

[15] S. LAMOUROUX, « La codification ou la démocratisation du droit », *Revue française de droit constitutionnel* 4/2001 (n° 48), pp. 801-824 ; J. HILAIRE, *Les origines du Code civil*, Académie des sciences et lettres de Montpellier séance du 15 octobre 2004, http://www.ac-sciences-lettres-montpellier.fr/academie_edition/fichiers_conf/Hilaire2004.pdf

[16] J.-P. ROYER, *Histoire de la justice en France*, PUF, 1er éd. 1995, p. 257 et s.

[17] B. BARRET-KRIEGEL, *op. cit.*

judiciaire, s'est au contraire progressivement imposé[18]. C'est, par mimétisme, sur ce modèle d'un juge créateur de droit coiffant un ordre juridictionnel organisé, qu'au XXe siècle s'est construit le droit administratif. Sur ces bases, s'est développée la jurisprudence du Conseil d'État mise en œuvre par un ordre de juridictions spécialisées, complété par les grandes réformes de la fin du XXe siècle ; l'ensemble soumettant l'administration au respect de la légalité. Puis, à partir de 1970, s'est progressivement imposée l'idée d'une justice constitutionnelle donnant une pleine effectivité à la hiérarchie des normes, cela en même temps que l'État s'est lié à des Conventions internationales garantissant les droits fondamentaux[19]. Au terme de cette évolution pourra-t-on estimer que l'État de droit a atteint son point d'achèvement ?

A. – *L'État de droit administratif*

12. Le concept d'État de droit administratif, tel que l'a révélé Jacques Caillosse[20], ne se résume sans doute pas au principe de légalité imposé à l'administration. Il comprend néanmoins la double idée développée par Jean Rivero : en premier lieu, « la soumission de l'action administrative à des règles formelles, principalement énoncée par la jurisprudence du Conseil d'État ». Mais, en second lieu, ajoute-t-il : « la règle est morte si le juge ne la vivifie pas ; il n'y a pas d'État de droit sans recours donné au particulier pour faire sanctionner la violation de légalité par l'administration. La seconde pièce du système, après la loi, c'est le juge ». L'État de droit, dit Rivero, « c'est l'État dans lequel les violations de la légalité par l'administration peuvent être constatées et sanctionnées par un juge »[21].

---

[18] G. CANIVET, Conférence à l'Académie des sciences morales et politiques, *Vision prospective de la Cour de cassation*, 13 novembre 2008.

[19] V. CHAMPEIL-DESPLATS, « La théorie générale de l'État est aussi une théorie des libertés fondamentales », *Jus politicum*, n° 8, 2012, p. 1 et s. ; P. RAYNAUD, « Un nouvel âge du droit ? », *Archives de philosophie*, 2001, t. 4, p. 41 et s.

[20] J.-M. SAUVÉ, « L'État de droit administratif » de Jacques Caillosse, Introduction à la table ronde organisée par l'institut français de droit administratif (IFSA), Conseil d'État, 5 mai 2015, http://www.conseil-etat.fr/Actualites/Discours-Interventions/L-État-du-droit-administratif-de-Jacques-Caillosse, J. CAILLOSSE, *L'État du droit administratif*, LGDJ, 2015.

[21] J. RIVERO, « L'État moderne peut-il être encore un État de droit ? », *RDP*, 1953, p. 280 et s. ; J. CHEVALLIER, « Les fondements idéologiques du droit administratif français », in *Variations autour de l'idéologie de l'intérêt général*, vol. 2, PUF, 1979, p. 3 et s.

1. La construction de la justice administrative – Le principe de légalité et les libertés

13. Ce n'est pas en ce lieu et devant un tel auditoire qu'un juge judiciaire aura l'audace de décrire ce qu'a été la progression de la justice administrative durant les XIXe et XXe siècles. Au cours de ce qui fut le siècle d'or de sa jurisprudence, le Conseil d'État a élaboré une technique de contrôle de la légalité des actes de l'exécutif et a construit le bloc des libertés publiques. C'est encore par son influence que le Conseil d'État a poussé à l'institution d'un véritable ordre juridictionnel administratif dont l'aboutissement a été la création des cours administratives d'appel par la loi du 31 décembre 1987. Cette évolution a finalement été couronnée par le Conseil constitutionnel dont la jurisprudence a consacré, en tant que principe fondamental reconnu par les lois de la République, d'une part, l'indépendance des juridictions administratives par la célèbre décision de 1980[22], d'autre part, en 1987[23], leur compétence exclusive pour annuler ou réformer les décisions prises dans l'exercice de prérogatives de puissance publique[24]. Contrairement aux préconisations de Dicey en Common Law[25], la réalisation de l'État de droit en France n'est donc pas passée par la soumission de l'administration au droit commun[26], mais par la construction, en son sein, d'un ordre juridictionnel, progressivement détaché de l'administration active, pour s'imposer en juge indépendant et impartial.

14. Au fil du temps, le juge administratif a adapté son contrôle aux mutations de la légalité. Il subordonne de plus en plus la validité des actes de l'administration aux objectifs définis par le législateur et aux circonstances concrètes. Il vérifie, en particulier, que les mesures prises sont nécessaires compte tenu des buts de la loi et proportionnées à la situation de sorte que les atteintes portées aux droits et libertés individuelles sont illégales dès l'instant où elles apparaissent superflues ou excessives à

---

[22] Décision du 22 juillet 1980 (119 DC).

[23] Décision du 23 janvier 1987 (224 DC).

[24] *Le Conseil d'État et la juridiction administrative, Naissance et évolution, Des origines du Conseil d'État aux récentes évolutions de la juridiction administrative*, site du Conseil d'État, http://www.conseil-etat.fr/Conseil-d-État/Histoire-Patrimoine/Histoire-d-une-institution/Ses-fonctions/Naissance-et-evolution ; R. ERRERA, *La réalité de l'indépendance de la juridiction administrative*, Conférence à la Cour de cassation, https://www.courdecassation.fr/IMG/File/pdf_2007/10-05-2007/10-05-2007_errera-2.pdf ; J.-M. SAUVÉ, *La justice administrative et l'État de droit*, Institut d'études judiciaires, Université Panthéon-Assas, Lundi 10 février 2014, http://www.conseil-etat.fr/Actualites/Discours-Interventions/Justice-administrative-et-État-de-droit.

[25] A. V. DICEY, *Introduction to the Study of the Law of the constitution*, 10e ed., 1959.

[26] D. MOCKLE, « L'État de droit et la théorie de la *rule of law* », *Les cahiers de droit*, vol. 35, n° 4, 1994, p. 823 et s. ; H. MUIR-WATT, « Le problème de « constitutionnal review » : le modèle du Royaume-Uni », *Cahiers du Conseil constitutionnel*, n° 24, juill. 2008.

l'égard de la finalité de l'action de l'administration[27]. Par la dynamique de cette construction et dans des limites de plus en plus restreintes, le pouvoir exécutif est substantiellement soumis au respect de règles comprenant des droits et libertés fondamentaux consacrés par la loi ou dégagés par la jurisprudence : liberté de réunion, d'association, de manifestation, liberté de la presse, liberté de religion, de pensée et de croyance...[28].

2. La concurrence des juges dans la protection des libertés

15. Durant cette période d'affirmation de la justice administrative, la juridiction judiciaire a, elle aussi, et dans les limites qui lui étaient imposées par la loi des 16 et 24 août 1790, développé une jurisprudence de protection des libertés individuelles contre les immixtions de l'Exécutif aussi bien dans le domaine pénal que dans le domaine civil[29]. S'est, en outre, construite la théorie de la voie de fait applicable dans le cas où l'administration accomplit un acte entaché d'une irrégularité manifeste[30].

16. L'extension du domaine du droit administratif dans le champ économique normalement soumis au droit privé et à la jurisprudence de la Cour de cassation a placé ces deux juges en situation de concurrence en matière de protection des libertés. Cela d'autant plus que, par la loi du 30 juin 2000, la procédure administrative s'est enrichie de nouveaux pouvoirs de référé, permettant au juge administratif de garantir une protection effective des violations manifestes de la légalité ou les atteintes graves aux libertés fondamentales commises par l'administration[31]. Cette concurrence des juridictions dans le contrôle des divers modes d'action de l'État a été réglée, d'une part, par la jurisprudence du Tribunal des conflits dont c'est la fonction depuis 1872, d'autre part, par celle du Conseil constitutionnel, lequel, à partir de 1990 a progressivement réduit le domaine de la compétence réservé de l'autorité judiciaire par l'article 66 de la Constitution en matière de protection de la liberté individuelle comme en

---

[27] J. RIVERO, *op. cit.*

[28] B. STIRN, Colloque sur l'Ordre public, organisé par l'Association française de philosophie du droit les 17 et 18 septembre 2015, Ordre public et libertés publiques, http://www.conseil-etat.fr/Actualites/Discours-Interventions/Ordre-public-et-libertes-publiques

[29] G. CANIVET, *op. cit.*

[30] R. CHAPUS, *Droit administratif général*, Paris, Montchrestien, 10e éd., 1996, p. 90 ; F. BURDEAU, *Histoire du Droit administratif*, Paris, PUF, 1er éd., 1995, p. 452 ; S. SLAMA, « Voie de fait (Liberté individuelle, Propriété privée) : Le tribunal des conflits déshabille la « folle du logis » », in *Lettre « Actualités Droits-Libertés » du CREDOF*, 17 août 2013.

[31] Quelles sont les différentes procédures d'urgence dont le juge administratif peut être saisi ? Site du Conseil d'État http://www.conseil-etat.fr/Conseil-d-État/Demarches-Procedures/Les-procedures-d-urgence/Quelles-sont-les-differentes-procedures-d-urgence-dont-le-juge-administratif-peut-etre-saisi.

matière de protection du droit de propriété[32]. Quoi qu'il en soit, aussi bien le Conseil d'État que la Cour de cassation, tout en développant des techniques de protection des libertés fondamentales, même de source constitutionnelle, se sont déniés le pouvoir de contrôler la conformité de la loi à la Constitution[33].

17. Au terme de deux siècles d'évolution, la soumission du pouvoir exécutif aux droits et libertés garantis par la loi est donc assurée par deux juges, dans des domaines répartis entre eux selon des règles fixées par la Constitution. On peut alors écrire que le juge administratif est tout aussi protecteur des libertés que le juge judiciaire. En outre, le contrôle de légalité des actes administratifs opéré par le juge administratif sous forme du recours pour excès de pouvoir, intègre le contrôle de constitutionnalité[34]. Cette compétence est également dévolue au juge judiciaire en matière pénale lorsque l'appréciation de la légalité d'un acte administratif est nécessaire à l'application de la loi répressive[35]. Pour achever la construction de l'État de droit, il restait à soumettre le pouvoir législatif à un contrôle juridictionnel du respect par la loi des droits et libertés fondamentaux, soit de valeur constitutionnelle, soit de valeur conventionnelle.

B. – *L'État de droit constitutionnel*

18. Le contrôle de la constitutionnalité des lois est la condition essentielle de l'État de droit, puisqu'il garantit la suprématie effective de la Constitution et des droits et libertés qu'elle contient sur l'ordre juridique interne. Après l'essai avorté de 1946, l'introduction en 1958 d'un contrôle de constitutionnalité des lois représente une innovation considérable permettant

---

[32] M. ROBERT, « L'Autorité judiciaire, la Constitution française et la Convention européenne des droits de l'homme », *Nouveaux Cahiers du Conseil constitutionnel*, n° 32 (Dossier : Convention européenne des droits de l'homme), juillet 2011, http://www.conseil-constitutionnel.fr/conseil-constitutionnel/francais/nouveaux-cahiers-du-conseil/cahier-n-32/l-autorite-judiciaire-la-constitution-francaise-et-la-convention-europeenne-des-droits-de-l-homme.99054.html ; G. CANIVET, « Le juge judiciaire dans la jurisprudence du Conseil constitutionnel », *Cahiers du Conseil constitutionnel*, n° 16 (Dossier : le Conseil constitutionnel et les diverses branches du droit), juin 2004.

[33] O. DUTHEILLET de LAMOTHE, « Contrôle de constitutionnalité et contrôle de conventionnalité », *Mélanges en l'honneur de Daniel Labetoulle*, Dalloz, 2007, http://www.conseil-constitutionnel.fr/conseil-constitutionnel/root/bank_mm/pdf/Conseil/cccc.pdf

[34] J.-M. SAUVÉ, *La justice administrative et l'État de droit*, *op. cit.*

[35] Art. 115-1 du Code pénal ; J.-M. SAUVÉ, *L'acte administratif sous le regard du juge judiciaire*, Colloque organisé par la Cour de cassation, L'acte administratif sous le regard du juge judiciaire, 4 avril 2014, site du Conseil d'État.

le passage de l'État légal à l'État de droit[36]. Puis à partir des années 1960, aux droits et libertés garanties par la Constitution, se sont superposées celles procédant des traités ratifiés par la France auxquels la Constitution elle-même confère une autorité supérieure à celle des lois. Il fut donc nécessaire d'articuler le contrôle de conformité des lois à la Constitution et celui de leur compatibilité avec ces conventions internationales[37]. En théorie est alors réalisé l'État de droit, tel qu'il est compris dans sa figure moderne. Les modalités selon lesquelles est mis en œuvre ce double contrôle marque-t-il pour autant l'achèvement de l'État de droit ? Y aurait-il une fin du droit[38] comme il y aurait une fin de l'histoire[39] ? La promesse d'un État de droit matériel s'est-elle réalisée dans un État de droit substantiel définitif ?

1. La promesse de l'État de droit matériel

a) Le contrôle de constitutionnalité

19. La Constitution de 1958 a introduit une forme de contrôle de constitutionnalité de la loi d'abord limité aux arbitrages imposés par le parlementarisme rationalisé dans les rapports entre le Gouvernement et le Parlement. Selon le constituant, le contrôle de constitutionnalité était limité à celui des empiètements du Parlement sur le pouvoir exécutif. Ce que certains dénonçaient comme une régression. Puis, par la décision de 1971[40], le Conseil a, de sa propre autorité, élargi le contrôle de constitutionnalité au respect, par la loi, des droits et libertés intégrés dans le bloc de constitutionnalité, c'est-à-dire non seulement ceux compris dans le texte même de la Constitution, mais aussi ceux découlant de la Déclaration de 1789, du Préambule de la Constitution de 1946 et des principes fondamentaux reconnus par les lois de la République. Selon la formule de la célèbre décision de 1985[41], « la loi n'exprime la volonté générale que dans le respect de la Constitution », un bloc de constitutionnalité comprenant des droits, civils et politiques proclamés par la Déclaration de 1789 autant que les droits sociaux

---

[36] G. CANIVET, « La question de constitutionnalité ou le ravissement du constitutionnaliste », Conférence à la Faculté de droit de Montpellier, 11 septembre 2009 ; J.-L. HALPERIN, « La question prioritaire de constitutionnalité : une révolution dans l'histoire du droit français ? », *Cahiers du Conseil constitutionnel*, n° 28 (Dossier : L'histoire du contrôle de constitutionnalité), juillet 2010.

[37] O. DUTHEILLET de LAMOTHE, « Contrôle de constitutionnalité et contrôle de conventionnalité », *op. cit.*

[38] *La fin du droit*, Colloque organisé par le Centre de recherche Versailles Saint-Quentin Institutions Publiques agréé par l'HEDAC, 5 et 6 décembre 2013

[39] B. BOURGEOIS, « La fin de l'histoire », in *La Raison moderne et le Droit politique*, Paris, Vrin, 2000 ; F. FUKUYAMA, *La Fin de l'histoire et le Dernier Homme*, Flammarion, 1992.

[40] Décision du 16 juillet 1971 (44 DC).

[41] Décision du 23 aout 1985 (197 DC).

regardés par le Préambule de 1946 comme nécessaires à notre temps. À cet ensemble a été ajoutée, en 2005[42], la Charte de l'environnement. Ainsi qu'en a conclu une commission de constitutionnalistes réunie en 2008[43], les normes constitutionnelles de référence sont désormais complètes. Ce contrôle de constitutionnalité était toutefois à l'origine cantonné par une double limite, d'une part, il ne pouvait être que préventif et ne porter que sur la loi votée avant sa promulgation, d'autre part, il était réservé à certaines autorités politiques, Président de la République, Premier ministre et présidents des assemblées[44].

20. Une première réforme constitutionnelle, en date du 29 octobre 1974[45], a d'abord élargi le pouvoir de déclencher le contrôle à l'opposition parlementaire. De la sorte, elle a permis de corriger les abus du parlementarisme majoritaire et de jeter les bases d'un contentieux de la constitutionnalité dans un débat entre majorité et opposition, débat que la pratique du Conseil constitutionnel s'est efforcée de rendre contradictoire[46].

21. Puis, la grande réforme constitutionnelle de 2008[47] et la loi organique de 2009[48] qui l'a mise en œuvre ont supprimé la dernière limite, en permettant à toute personne de faire renvoyer au Conseil constitutionnel la conformité aux droits et libertés garantis par la Constitution d'une disposition légale applicable au litige auquel il est partie. Ce mécanisme de renvoi subordonne la saisine du Conseil constitutionnel à la décision des juridictions supérieures administratives et judiciaires constituées en ordre juridictionnel constitutionnel auquel s'impose l'interprétation authentique de la Constitution donnée par le Conseil constitutionnel[49].

22. L'ordre constitutionnel ainsi organisé se trouve investi du pouvoir de vérifier que la loi n'est contraire à aucun principe et à aucune règle de

---

[42] Loi constitutionnelle n° 2005-205 du 1er mars 2005 relative à la Charte de l'environnement (1).

[43] *Redécouvrir le Préambule de la Constitution, Rapport du comité présidé par Simone Veil*, La Documentation française, 2008.

[44] J.-L. DEBRÉ, *Contrôle de constitutionnalité : entre tradition et modernité*, Colloque « Séparation des Pouvoirs et justice constitutionnelle », 6 mai 2014, http://www.conseil-constitutionnel.fr/conseil-constitutionnel/francais/documentation/contributions-et-discours/2014/controle-de-constitutionnalite-entre-tradition-et-modernite.141543.html ; *Cahiers du Conseil constitutionnel*, n° 28, (Dossier : L'histoire du contrôle de constitutionnalité), juillet 2010.

[45] Loi constitutionnelle n° 74-904 du 29 octobre 1974 portant révision de l'article 61 de la Constitution.

[46] J.-L. DEBRÉ, *op. cit.*

[47] Loi constitutionnelle n° 2008-724 du 23 juillet 2008 de modernisation des institutions de la Ve République.

[48] Loi organique n° 2009-1523 du 10 décembre 2009 relative à l'application de l'article 61-1 de la Constitution.

[49] M. GUILLAUME, « La question prioritaire de constitutionnalité », *Justice et cassation, Revue annuelle des avocats au Conseil d'État et à la Cour de cassation*, Dalloz, 2010.

valeur constitutionnelle de sorte que la loi n'est plus un acte discrétionnaire soustrait à tout contrôle. Les recours ouverts permettent désormais de sanctionner pratiquement la position subordonnée de la loi dans la hiérarchie des normes par rapport à la Constitution elle-même, mais aussi en référence aux textes fondamentaux auxquels elle se réfère. Tout en assurant l'effectivité de ce contrôle, le Conseil constitutionnel entend respecter la souveraineté du Parlement. Chaque fois que nécessaire, il affirme qu'il ne dispose pas d'un pouvoir général d'appréciation et de décision de même nature que celui du Parlement, mais qu'il se borne à examiner la conformité de la loi à la Constitution[50]. Ainsi, selon l'expression du Doyen Favoreu, l'État de droit serait désormais complet en France[51].

b) Le contrôle de conventionalité

23. Qu'en est-il alors du contrôle de compatibilité du droit interne par rapport aux droits et libertés garantis par les conventions internationales ratifiées par la France ? Depuis les années 1960, la France a en effet ratifié de nombreuses conventions internationales garantissant les droits fondamentaux : les deux Pactes internationaux de New-York de 1966, l'un sur les droits civils et politiques, l'autre sur les droits économiques, sociaux et culturels, la Convention contre la torture de 1984, la Convention de New-York relative aux droits de l'Enfant de 1990, la Convention européenne de sauvegarde des droits de l'homme et des libertés fondamentales du 4 novembre 1950, la Charte européenne des droits fondamentaux[52]... Selon l'article 55 de la Constitution, à certaines conditions ces traités et accords ont, dès leur publication, une valeur supérieure à celle des lois, de sorte que, lorsqu'elles contiennent des règles d'application directe, elles doivent être appliquées par le juge en écartant les dispositions légales avec lesquelles elles sont incompatibles[53]. La question s'est surtout posée pour celles de ces conventions dotées de juridictions internationales imposant à tous les organes des États signataires le respect des droits qu'elles contiennent, cela dans l'interprétation authentique donnée par ces juridictions. Ce qui est le cas de la Convention européenne qui donne à chaque ressortissant des États

[50] O. DORD, « La QPC et le Parlement : une bienveillance réciproque », *Nouveaux Cahiers du Conseil constitutionnel* n° 38 (Dossier : Le Conseil constitutionnel et le Parlement), janv. 2013.

[51] L. FAVOREU, *Pouvoirs*, n° 13, 2e éd. 1991 ; « Légalité et constitutionnalité », *Cahiers du Conseil constitutionnel*, n° 3, nov. 1997 ; « De la démocratie à l'État de droit », *Le Débat*, Gallimard, n° 4, 1991/2.

[52] Charte européenne des droits fondamentaux de l'Union européenne, 2000/C 364/01, *JOCE* 1er décembre 2000.

[53] C. MAUGÜÉ, « Le Conseil constitutionnel et le droit supranational », *Pouvoirs*, 2003, n° 105, p. 53 et s.

signataires un droit de recours direct et de la Cour de justice des communautés européennes, à laquelle quiconque peut accéder notamment par le biais de la question préjudicielle[54].

24. La désignation du juge national chargé de ce contrôle dit de conventionalité a été décidée par le Conseil constitutionnel en 1975[55]. Estimant son pouvoir limité au contrôle de constitutionnalité, il a abandonné aux juges ordinaires, judiciaires et administratifs, la charge du contrôle de conventionalité. Cette décision a pour effet de diviser l'appréciation de la conformité de la loi aux droits fondamentaux, entre le Conseil constitutionnel, lorsqu'ils sont de protection constitutionnelle, et aux juridictions judiciaires et administratives, lorsqu'ils sont de source conventionnelle. Le Conseil constitutionnel a, pour l'essentiel, maintenu cette position après la réforme de 2008[56]. Il suit de cette répartition que deux juges, le juge constitutionnel et le juge ordinaire judiciaire ou administratif, sont chargés de contrôler la conformité de la loi aux textes protecteurs des libertés. Le Conseil d'État a en outre intégré les droit international et européen des droits de l'homme dans ses techniques de contrôle de l'activité de l'administration, ce que la Cour de cassation a fait, de son côté, dans son domaine de compétence[57]. La théorie de l'État de droit se trouve réalisée par la soumission matérielle de l'État aux droits fondamentaux autant de source interne qu'internationale. Ce dispositif réalise-t-il pour autant l'achèvement substantiel de l'État de droit ?

2. L'inachèvement d'un État de droit substantiel[58]

25. Ce qui renvoie à une triple question. L'achèvement est-il possible ? L'achèvement est-il complet ? L'achèvement est-il définitif ?

26. Certains théoriciens de l'État estiment que le concept recèle en lui-même d'irréductibles contradictions entre la souveraineté de l'État, la

---

[54] L. FAVOREU, « La prise en compte du droit international et communautaire dans la jurisprudence du Conseil constitutionnel », in *L'internationalité dans les institutions et le droit : convergences et défis, Études offertes à Alain Plantey*, Pedone, 1995, pp. 33-44.

[55] Décision n° 74-54 DC du 15 janvier 1975, Loi relative à l'interruption volontaire de la grossesse ; *Grandes décisions du Conseil constitutionnel*, 14e éd., Dalloz, 2007, p. 290.

[56] M. GUILLAUME, « Question prioritaire de constitutionnalité et Convention européenne des droits de l'homme », *Nouveaux Cahiers du Conseil constitutionnel*, n° 32 (Dossier : Convention européenne des droits de l'homme), juill. 2011 ; P. GAÏA, « Le contrôle de conventionnalité », *Revue française de droit constitutionnel*, 5/2008 (HS n° 2), pp. 201-207.

[57] V. « Justice constitutionnelle, justice ordinaire, justice supranationale : à qui revient la protection des droits fondamentaux en Europe ? », XXe table ronde internationale des 17 et 18 septembre 2004 (Aix-en-Provence), *AIJC*, 2004, pp. 141-422.

[58] D. SALAS, « Justice et démocratie en France : un État de droit inachevé », http://www.stj.pt/ficheiros/coloquios/jspp_denissalas.pdf

souveraineté de la loi et le pouvoir d'un juge. La construction serait donc inachevable sans tomber dans le travers d'un illégitime gouvernement des juges[59]. Ce qui revient finalement à dénier au juge le pouvoir d'interpréter la Constitution par des normes jurisprudentielles de référence qui s'imposent à l'ensemble des pouvoirs publics[60].

27. Plus pratique est la question de la complétude de l'État de droit. Elle consiste à se demander si les garanties qui le conditionnent sont totalement assumées autant dans la dimension matérielle que dans les exigences procédurales[61].

28. D'un point de vue matériel, on s'interroge sur la totale subordination de l'État au droit. À cet égard, est par exemple interpellée la jurisprudence du Conseil d'État, il est vrai de plus en plus exigeante, sur le contrôle de certains actes de l'exécutif, s'agissant, d'un côté, des actes de gouvernement, de l'autre, des mesures administratives d'ordre intérieur. Dans la pratique du Conseil constitutionnel, sont discutées l'intensité du contrôle qu'il exerce en certains domaines ou sa réticence à examiner certains actes législatifs comme les lois référendaires[62]. C'est en définitive la portée donnée aux garanties fondamentales par le Conseil constitutionnel qui est en cause à travers l'interprétation des textes qui constituent le bloc de constitutionnalité et des dispositions de la Constitution qui déterminent son propre pouvoir[63].

29. Plus fondamentalement, est à évaluer l'aptitude des garanties fondamentales de source étatique ou internationale et des procédures instituées à protéger les personnes contre les forces privées considérables nées de la mondialisation de l'économie[64]. L'État de droit a-t-il encore un sens dans le développement d'entreprises multinationales si puissantes qu'elles sont capables de s'affranchir de l'autorité des États et des systèmes

---

[59] W. LEISNER, « L'État de droit, une contradiction », *Recueil d'études en hommage à Charles Eisenmann*, Paris Cujas, 1975, p. 65.

[60] E. LAMBERT, *Le gouvernement des juges et la lutte contre la législation sociale aux États-Unis. L'expérience américaine du contrôle judiciaire de la constitutionnalité des lois*, Paris, Dalloz, 2005 ; L. FAVOREU, « La légitimité du juge constitutionnel », *RIDC* n° 2-1994, pp. 557-581 ; F. ROUVILLOIS, « Michel Debré et le contrôle de constitutionnalité », *Revue française de droit constitutionnel*, 2001/2 (n° 46), p. 227 et s.

[61] F. JULIEN-LAFERRIÈRE, *L'État de droit et les libertés*, *op. cit.*

[62] F. JULIEN-LAFERRIÈRE, *op. cit.*

[63] D. LOCHAK, « Le Conseil constitutionnel protecteur des libertés ? », *Le Conseil constitutionnel*, *Pouvoirs*, n° 13, avril 1980, p. 41 ; v. *Jus Politicum*, n° 7, « Le Conseil constitutionnel, gardien des libertés publiques », 2012.

[64] J.-B. AUBY, *La mondialisation, la loi et l'État de droit, Fondation mémoire Albert Cohen*, E-colloque, http://ecolloque.fondationmemoirealbertcohen.org/index.php?page=mondialisation ; G. DUFOUR, O. BARSALOU, et P. MACKAY, « La mondialisation de l'État de droit entre dislocation et recomposition : le cas du Codex Alimentarius et du droit transnational », *Les Cahiers de droit*, vol. 47, n° 3, 2006, pp. 475-514.

juridictionnels publics ? La question est immense, dans le cadre de cette communication elle ne peut qu'être suggérée.

30. D'un point de vue procédural, se pose la question de l'effectivité du recours au juge. La répartition de la protection des libertés fondamentales selon des limites glissantes entre le juge administratif et le juge judiciaire ne contribue pas à la clarté du système juridictionnel de contrôle. Certes, la récente réforme du Tribunal des conflits par la loi du 16 février 2015[65] et, dit-on, l'abandon d'une logique de conflit au profit d'un esprit de coopération dans la distribution rationnelle des contentieux, à l'œuvre depuis quelques années, aurait apporté des clarifications utiles[66]. Dans la culture qui nous habite, il est sans doute illusoire de prétendre rassembler les juridictions administratives et judiciaires dans une organisation unique mais il n'est pas impossible d'espérer que des liens organiques soient créés pour les mettre en mesure de juger ensemble au fond certains contentieux situés à la frontière du droit privé et du droit public. Cela serait d'autant plus nécessaire que, dans le domaine des libertés économiques, la distinction des deux domaines du droit n'est guère pertinente[67].

31. Toute aussi contestée est l'articulation des contrôles de constitutionnalité et des contrôles de conventionalité telle qu'elle résulte des principes posés en 1975[68]. La mise en œuvre de la réforme de 2008 aurait pu être l'occasion de régler cette question. Cela n'a pas été le cas. À l'usage, la succession temporelle des deux contrôles imposant la priorité du contrôle de constitutionnalité voulue par la loi organique de 2009 fixant la procédure de mise en œuvre du nouvel article 62-1 de la Constitution n'est ni opérationnelle ni satisfaisante. Est-il, par exemple, compréhensible pour toute personne douée d'un entendement normal que, comme cela s'est produit, le Conseil constitutionnel déclare conforme aux droits et libertés garantis par la Constitution une disposition légale[69] dont l'application est quelques jours plus tard écartée par le Conseil d'État ou la Cour de cassation[70] comme incompatible avec la Convention européenne des droits

---

[65] Loi n° 2015-177 du 16 février 2015 relative à la modernisation et à la simplification du droit et des procédures dans les domaines de la justice et des affaires intérieures.

[66] J.-M. SAUVÉ, *L'acte administratif sous le regard du juge judiciaire*, Colloque organisé par la Cour de cassation, 4 avril 2014, « Des blocs et des frontières : les juges de la légalité administrative », http://www.conseil-etat.fr/Actualites/Discours-Interventions/L-acte-administratif-sous-le-regard-du-juge-judiciaire.

[67] V. « Droit administratif. Bilan critique », *Pouvoirs*, n° 46, sept. 1998.

[68] Décision n° 55 DC, préc.

[69] Décision n° 2010-14/22 QPC du 30 juillet 2010.

[70] Cour de cassation, chambre criminelle, 19 octobre 2010, https://www.courdecassation.fr/jurisprudence_2/chambre_criminelle_578/arrets_rendus_17837.html

de l'homme. Une articulation plus coopérative est à inventer. Les modèles étrangers qui y sont parvenus pourraient servir de modèle[71].

32. Enfin, tel qu'il est garanti en France, l'État de droit est-il définitif ? Peut-il être remis en cause ? L'actualité tragique pose brutalement la question. Depuis la Révolution, nous savons que l'État de droit est évincé dans les situations de crises graves. Terreur révolutionnaire, répression de la Commune, Régime de Vichy, guerre d'Algérie ont apporté des régressions dans la primauté du droit sur l'exécutif en période d'exception[72]. L'État de droit est aujourd'hui défié par le terrorisme. Il est ici, aujourd'hui, difficile d'en dire davantage[73]. Toutes les juridictions constitutionnelles y sont confrontées. Un livre récemment publié en France par Stephen Breyer[74], juge à la Cour suprême des États-Unis, montre parfaitement le cheminement de sa Cour pour maintenir les principes de l'État de droit en présence de menaces graves à la sûreté de l'État et à la sécurité des personnes. Entre la maxime de Cicéron « Les lois se taisent au milieu des armes » qui a d'abord gouverné les orientations de la jurisprudence de la Cour et la doctrine exprimée par Lord Atkin, dans son opinion émise en 1942 à propos d'une affaire soumise à la House of Lords en 1941 « Les lois parlent le même langage dans la guerre et dans la paix », la Cour a infléchi ses positions à partir de 2004 dans les affaires concernant les combattants ennemis détenus à Guantanamo. Les hautes juridictions britanniques ont également rendu des décisions intéressantes à ce sujet[75]. C'est dire que tel qu'il est réalisé en France et confronté au terrorisme, l'État de droit n'est pas définitivement fixé.

33. Pour paraphraser la formule de Lincoln, c'est aux juges gardiens de l'État de droit de poursuivre l'œuvre inachevée que d'autres juges ont avant eux entreprise. C'est finalement le message que nous laisse l'œuvre de Roger Errera[76].

---

[71] G. ROSOUX, « La Cour constitutionnelle de Belgique », *Nouveaux Cahiers du Conseil constitutionnel*, n° 41, oct. 2013.

[72] F. SAINT-BONNET, *L'État d'exception*, Paris, PUF, 2001 ; B. MANIN (trad. R. ROBERT), « Le paradigme de l'exception : L'État face au nouveau terrorisme », *La vie des idées*, 15 décembre 2015.

[73] P. COSSALTER, « Légalité de crise et état d'urgence », *Revue générale du Droit*, http://www.revuegeneraledudroit.eu/blog/2015/11/15/la-legalite-de-crise-et-letat-durgence/

[74] S. BREYER, *La Cour suprême, le droit américain et le monde*, Paris, Odile Jacob, 2015.

[75] J.-C. PAYE, « Le modèle anglais », CRDF, n° 6, 2007, p. 71 et s. ; M. C. ELLIOT, « Detention without Trial and the 'War on Terror' », *International Journal of Constitutional Law*, 2006, n° 4, pp. 553-566.

[76] R. ERRERA, *Les libertés à l'abandon*, Seuil, 1968.

ÉTAT DE DROIT AND RULE OF LAW : COMPARING CONCEPTS

Duncan FAIRGRIEVE* et Mattias GUYOMAR**

– Mattias Guyomar : M. le président, nous devons, Duncan Fairgrieve et moi, tenter un essai de comparaison entre deux notions, *Rule of Law* et État de droit. Pour ce faire nous avons pensé que dialoguer ensemble serait, sinon plus efficace ou plus fructueux, du moins plus rapide. Très rapide même : lorsque j'ai commencé à réfléchir à cette comparaison, je me suis demandé en effet si notre exposé conservait réellement un objet, au moins à la lecture du préambule de la Charte des droits fondamentaux de l'Union européenne. Dans sa version rédigée en langue française, ce préambule rappelle que l'Europe repose sur « le principe de la démocratie et le principe de l'État de droit ». Or, dans sa rédaction en langue anglaise, il se réfère aux « Principles of democracy and Rule of Law ». Il semblerait, à l'aune de cette traduction, que l'un vaille pour l'autre. On pourrait en rester là, et on rattraperait le temps que nous avons déjà mangé au début du colloque…

– Duncan Fairgrieve : À propos de cette question, j'ai consulté un autre texte ; et un texte qui, je pense, vient compléter ce que tu viens de dire en te référant à l'article 3 du Préambule de la « Constitution européenne ». Dans ce texte, on retrouve une autre notion, très différente de ce concept de *Rule of Law :* la notion de la « primauté de droit » et on peut, ce qui est intriguant avec cette notion, retrouver en cascade une série d'autres traductions littérales aussi qui démontrent bien la difficulté, le défi linguistique. La Charte canadienne des droits de l'homme ne parle pas de la

---

* Barrister, avocat à la Cour, professeur associé à l'Université de Paris-Dauphine PSL.
** Conseiller d'État.

prééminence du droit ni de l'État de droit. Elle nous parle de « la primauté de droit », ce qui est une autre traduction linguistique et conceptuelle également. Donc, on voit bien que la solution de simplicité que tu as trouvée ne va pas raccourcir cette présentation ; il faudrait au contraire, je pense, en s'appuyant sur les deux présentations que nous avons entendues déjà, observer les traits caractéristiques, les contours et l'essentiel de ces deux notions.

– Mattias Guyomar : Eh bien, puisque notre dialogue conserve un objet, tentons, à partir de l'origine historique et des traits caractéristiques de l'État de droit dans un premier temps et du *Rule of Law* ensuite, de voir ce qui les distingue, ou pourrait les distinguer, et ce qui les rassemble. Si l'on confronte les notions d'État de droit et de *Rule of Law*, il convient de relever que la première constitue autant une notion de droit positif permettant de rendre compte d'un certain nombre de régimes existants qu'un idéal. Type d'État ou idée de l'État, la notion est, dans tous les cas, indissociable de l'État lui-même.

En tant que notion de droit positif, l'État de droit correspond à une catégorie d'État. Pour faire simple, celle-ci comprend les États qui acceptent d'être soumis à leur propre droit. Cette qualification suppose qu'un certain nombre de conditions objectives soient remplies : la soumission de l'État à la règle de droit, la séparation des pouvoirs, la garantie des droits, la faculté d'un recours effectif au juge. Toutes apparaissent nécessaires à la caractérisation de l'État de droit.

En tant qu'idéal, l'État de droit ne renvoie pas à un type d'État mais plutôt à une idée de l'État. Cette idée de l'État, ainsi que cela a été rappelé par le Premier président Canivet, nous vient de la doctrine allemande, de la toute fin du XVIIIe et du XIXe siècles. L'État de droit est issu du *Rechtsstaat*, notion qui a été véhiculée par de grands penseurs de la doctrine allemande comme Jellinek avant d'être, d'une certaine manière, importée dans notre doctrine juridique par Carré de Malberg. Dès l'origine, cet idéal revêt à la fois une dimension formelle et une dimension matérielle. C'est assez logique dès lors que la notion constitue, dans la doctrine allemande, une forme de traduction de la pensée de Kant. Cette dernière exercera en effet une influence décisive sur le développement du concept libéral d'État de droit qui correspond à une forme d'organisation politique qui garantit le respect des droits fondamentaux. Ainsi que l'affirme Kant, les lois juridiques ne sont pas statutaires mais « a priori nécessaires » dans la mesure où « elles correspondent au principe universel du droit » (in « Doctrine du droit »). Derrière la dimension formelle de l'État de droit, ce qui importe, c'est le respect de sa dimension substantielle que celle-ci permet de garantir.

C'est dans cette mesure que l'État de droit est opposé à d'autres notions : l'État de nature, l'État de police, l'État légal, qui constitue, sur la marche de la réalisation de cet idéal, un premier progrès.

Dans ses deux dimensions, formelle et matérielle, l'État de droit renvoie à une théorie de la limitation de l'État, dans son organisation comme dans son action. Or, cette limitation de l'État procède, dans notre culture politique et juridique en tout cas, d'un moment de rupture. On a évoqué 1789. Il s'agit en effet du moment historique où s'impose l'idée qu'il faut soumettre l'État. Cette limitation résulte d'une contrainte qui vient de l'extérieur, qui n'est pas inhérente à l'État. C'est peut-être là que se niche la première distinction avec le *Rule of Law* : la limitation de l'État vient d'ailleurs.

– Duncan Fairgrieve : Absolument. Et, sur ce point précis, je pense qu'avec la contradiction on va pouvoir mieux comparer, parce que, en contraste avec ce que tu viens de dire sur la notion, le cadre de référence de l'« État de l'extérieur », on retrouve la notion de l'État de droit. Le *Rule of Law* n'a pas les mêmes origines. Quelles sont ses origines ? D'où vient-il ? C'est l'un des mystères de cette notion. C'est un mystère, c'est un mythe peut-être, dans la même pensée que Bénédicte Fauvarque-Cosson, parce qu'on ne trouve pas de date de naissance du *Rule of Law.* On peut attribuer cette notion à Dicey, et celui-ci en a fait une illustration doctrinale, mais ce n'est pas lui qui a inventé la notion. C'est une notion qui était, à travers la lumière du temps, développé par la volonté créatrice du *Common Law.* On retrouve ainsi un développement bâti par cette notion qui est tellement chère aux juristes anglais, donc la notion en quelque sorte de règle du *Rule of law* très différente de ce que je viens d'exposer. C'est inné, c'est inhérent au système. Cela ne vient pas de l'extérieur, cela vient de l'intérieur. D'où la difficulté de trouver la date de naissance de quelque chose qui apparaît au fur et à mesure. Et c'est quelque chose également de différent dans ce sens que c'est une notion évolutive. On a vu tout à l'heure cette idée de l'aspect inachevé de la règle. C'est ici exactement cette notion de l'inachevé de façon intentionnelle. Cela signifie qu'il s'agit d'une notion qui va se développer à travers le temps, ce qui lui donne tout son aspect original.

Un autre élément du *Rule of Law* qu'il faut mettre en amont c'est la flexibilité de cette notion. La flexibilité pourquoi ? Parce que, à la différence de ce que tu viens d'exposer sur l'État de droit, le *Rule of Law* n'est pas attaché à l'État. Ce n'est pas une construction d'origine allemande comme le *Rechtsstaat*. Ce n'est pas construit autour de la notion de l'État pour des raisons qui sont propres au droit britannique. Et cet élément lui donne une certaine flexibilité qui, d'une certaine façon, est un avantage parce qu'on retrouve le *Rule of Law* dans d'autres contextes. C'est en quelque sorte peut-être davantage transposable en-dehors de la notion de l'État. On le trouve en droit international, et encore une fois, on peut l'appliquer peut-être bien plus dans d'autres contextes. Ce concept voyage beaucoup, à travers naturellement le *Common Law*, mais peut-être au-delà aussi. Cependant, cette notion de flexibilité présente évidemment des inconvénients. Lord Mance a dit que c'est une notion élastique, « an elastic concept ». C'est vrai que c'est un concept à géométrie variable, ce qui peut être un avantage mais aussi un inconvénient. Et sur ce point je te repasse la parole.

– Mattias Guyomar : D'une certaine manière, le *Rule of Law* serait toujours déjà là alors que l'État de droit constituerait un horizon, atteignable ou non. Dans l'État de droit, la tension qu'évoquait Guy Canivet tiendrait à ce que l'État est à la fois la source et le sujet du droit. Dans ces conditions, toute limitation est en réalité une autolimitation. Curieux paradoxe que cette autolimitation qui serait imposée à l'État « de l'extérieur ». Pour Léon Duguit, pour soumettre l'État à une limitation venant de l'extérieur, il faut qu'il soit « subordonné à une règle de droit supérieure à lui-même, qu'il ne crée pas et qu'il ne peut pas violer » (in *Traité de droit constitutionnel*). Où en trouver le fondement sinon dans la raison ? Le professeur Olivier Jouanjan parle du « mythe de l'État fondé, fixé par la raison » : « l'État de droit est un État rationnel » qui fournit « un discours de substitution à la théologie politique de l'État chrétien », « une doctrine » qui « cherche un substitut à la stabilité qu'était censé conférer à l'État d'Ancien régime sa fondation transcendante ». Sur ce point, je souhaite citer également Roger Errera ; ce sera l'une des manières de lui rendre hommage dans cet exposé. Dans la conclusion des *Libertés à l'abandon*, il revient sur « le moment 1789 » et il dit « la Déclaration des droits de l'homme ne ruine pas, au fond, l'ancienne conception de l'État. Elle la consolide plutôt en lui donnant un fondement nouveau – la souveraineté nationale – dont l'expression, la loi, sera à la fois censée être toute-puissante et infaillible »[1]. L'État reste encore au cœur du système dans ce « moment 1789 ». Mais tout ne procède pas de lui : « Il y a donc un droit sans l'État, au-dessus de lui, à côté de lui. Et il faut qu'il en soit ainsi, sans cela il n'y a pas de civilisation possible, il n'y a que despotisme et barbarie », pour citer à nouveau Léon Duguit.

– Duncan Fairgrieve : On retrouve, je pense, le même débat, les mêmes traits de débats, dans le *Common Law*, peut-être sur le terrain du

[1] R. ERRERA, *Les libertés à l'abandon*, Ed. du Seuil, 3e éd. 1975, p. 293.

contenu. C'est-à-dire est-ce que l'on va au-delà d'une protection par le *Rule of Law*, une protection uniquement formelle, c'est-à-dire « due process », comme tu le rappelais tout à l'heure : une protection procédurale qui va peut-être au-delà, avec la sécurité juridique ou la protection contre l'arbitraire ? Est-ce que l'on va au-delà de cela ? Le débat est très vif dans le *Common Law*, pour savoir si l'on est en présence d'un *« thick »* ou d'un *« thin » Rule of Law* ? Si c'est le sens plus développé, on aura donc un contenu à la fois de procédure et également du contenu substantif. Mais le problème qui ressort de ce débat c'est de savoir comment protéger la notion de *Rule of Law* et comment faire pour que cela reste distinctif. Le *Rule of Law* n'est pas une notion sans contour. S'il y a un aspect substantif, il faudrait que ce soit distinctif d'autres notions : démocratie, etc. Et cela est l'un des débats qu'on retrouve à travers les écrits de la doctrine actuelle. Je pense que l'on peut néanmoins trouver, sous les caractéristiques contrastées de ces deux notions, des valeurs qui ont été rappelées ici dans les présentations, des valeurs qui sont communes malgré les labels qui sont différents, malgré les méthodes très différentes ; on peut trouver sur la liste qu'on vient d'évoquer des valeurs communes.

– Mattias Guyomar : Et pour terminer, pour montrer peut-être que, derrière ces façons différentes d'organiser notre rapport au droit, il y a des valeurs communes, je voudrais évoquer une fonction qu'a exercée Roger Errera dont j'ai été le témoin direct. Roger Errera était membre du Haut conseil à l'intégration lorsque j'ai eu l'honneur d'en être rapporteur général sous la présidence de Roger Fauroux. Pendant cette période, le Haut conseil à l'intégration a rendu un rapport intitulé « L'islam dans la République », qui date de l'année 2000. Et je voudrais juste apporter un témoignage qui est lié à la part déterminante qu'y a prise Roger Errera avec sa manière de travailler. Il venait avec des petits papiers sur lesquels il avait écrit deux ou trois mots de son écriture de pattes de mouche, de pattes de petite mouche même, que seul lui pouvait déchiffrer, avec un petit crayon à papier. Et la densité de son propos était inversement proportionnelle à la taille des mots qu'il avait inscrits sur son papier. Il y a eu à l'époque des débats internes au Haut conseil à l'intégration à propos de l'avis du 27 novembre 1989 du Conseil d'État. Pouvait-on continuer à régler la question délicate des manifestations des croyances religieuses à l'école, par la jurisprudence ou faillait-il avoir recours à la loi ? Roger Errera a défendu de manière inlassable et victorieuse la position qui était alors celle qui prévalait et qui reposait sur une absence d'intervention du législateur. J'ai été très frappé de voir que, dans la manière dont il a défendu sa position, il était imprégné du

Rule of Law, de la manière d'y régler les litiges en dégageant des points d'équilibre entre liberté et ordre public : le cas par cas, le recours au juge, les grands principes immanents qu'il n'y a pas besoin d'inscrire dans le marbre d'une loi. Et c'est bien cette position qu'a retenue en 2000 le rapport du Haut conseil à l'intégration. Vous le savez, le 15 mars 2004, une loi a été adoptée en France qui a rompu avec cette approche et qui est revenue à une façon de procéder plus conforme à la tradition française et au légicentrisme. La loi a défini un cadre juridique de manière abstraite et générale, opposable à l'ensemble des acteurs concernés, l'État comme les particuliers aussi, dont le juge est le garant ultime. Ce n'est pas seulement au cas par cas et « ex post » qu'un juge vient vérifier si les règles ont été méconnues ou non. Ce qui est frappant c'est que plus de dix ans après l'entrée en vigueur de cette loi qui, d'une certaine manière, avait codifié la jurisprudence, on mesure que son application n'a pas entraîné de bouleversement. Sans doute existe-t-il une « manière *Rule of Law* » de tenter de définir les points d'équilibre et une « manière État de droit » de le faire. Mais dans tous les cas, les systèmes s'attachent à la prééminence du droit et à ce que puisse être dégagée, au nom de valeurs communes et partagées, la bonne solution.

– Duncan Fairgrieve : Nous voilà donc revenus au point de départ. Les difficultés de traduire le concept sont là, mais si l'on creuse on peut trouver les valeurs fondamentales qui peuvent se rejoindre, la notion de règle du jeu, la notion d'empire du droit, des notions qui sont transversales et qui existent dans des systèmes aussi différents que le droit français et le droit anglais. Pour finir, comme Mattias, je dirai que c'était un grand plaisir de travailler avec Roger, qui était en quelque sorte l'ambassadeur du droit public à l'étranger. Je me rappelle qu'à Londres avec Jeffrey Jowell, on a reçu Roger Errera plusieurs fois au *British Institute of International and Comparative Law*, au *Bingham Centre*. C'était quelqu'un qui représentait, au-delà des frontières, ces notions de droit public et démontrait la présence de ces valeurs intemporelles qui existent dans les deux systèmes, malgré les différences de langue, de concepts ou autre, valeurs intemporelles qui, je pense, nous relient tous.

DEUXIÈME PARTIE

Les libertés à l'abandon[*] ?

« Et nos nichil impetrabimus ab aliquo, per nos nec per alium, per quod aliqua istarum concessionum et libertatum revocetur vel minuatur »[**]

---

[*] R. ERRERA, *Les libertés à l'abandon*, Paris, coll. « Politique », n° 20, éd. du Seuil, 1975.

[**] Nous ne chercherons pas à obtenir de quiconque, directement ou par l'intermédiaire d'un autre, quelque chose qui pourrait abroger ou amoindrir la portée de ces concessions et libertés / *We will not seek to procure from anyone, either by our own efforts or those of a third party, anything by which any part of these concessions or liberties might be revoked or diminished* (Magna Carta § 61).

QUESTIONS SUR LES LIBERTÉS

Bernard STIRN*

Les *Libertés à l'abandon*, de Roger Errera, est un livre qui m'a beaucoup accompagné lors de mes premières années à Sciences Po. J'ai retrouvé ce week-end dans mon exemplaire les petites notes que je prenais en commençant à étudier le droit et en lisant cet ouvrage.

Quand on le reprend aujourd'hui, on est frappé par le côté prémonitoire de l'ouvrage. Il retrace une inquiétude à un moment donné de notre histoire. Sur la page de couverture, on trouve cette phrase, que l'on peut ajouter à celles qui ont déjà été citées : « Depuis 30 ans les Français assistent passivement au déclin de leurs libertés. Le pays de Voltaire, des droits de l'homme et de l'affaire Dreyfus, a toléré la censure et la torture, l'internement administratif et la télévision dirigée ». Ce bilan n'est pas très réjouissant.

Il est extraordinaire de noter que par rapport à ces mots, écrits avec force à la veille de mai 1968, notre droit a considérablement évolué. On pourrait penser que Roger Errera a été tellement entendu que tout notre édifice juridique s'est en quelque sorte reconstruit pour conjurer le mauvais sort qui semblait s'acharner sur nos libertés à la fin des années 1960. Il s'agit d'un ouvrage prémonitoire, annonciateur d'un renouvellement très profond de notre droit des libertés – sans doute un renouvellement que Roger Errera n'aurait même pas osé espérer lorsqu'il écrivait ce livre.

Néanmoins, aujourd'hui on constate également que si les questions se sont beaucoup renouvelées, des inquiétudes existent, des dangers persistent, et que, par conséquent, une vigilance demeure nécessaire.

---

* Président de la section du contentieux du Conseil d'État.

1. Une redéfinition de notre droit des libertés s'est opérée. On le voit au moins sous trois grandes rubriques : l'affirmation de normes de référence supérieures ; de profonds changements dans le contrôle du juge administratif ; et de très importantes évolutions législatives. Dans ces trois grandes rubriques, par rapport aux inquiétudes de 1967-1968, le chemin parcouru est gigantesque.

L'affirmation, tout d'abord, de normes supérieures, a peut-être été le premier écho à l'ouvrage. Il est écrit trois ans avant la décision du 16 juillet 1971 par laquelle le Conseil constitutionnel affirme qu'il va désormais exercer un contrôle de conformité des lois par rapport aux principes du préambule de la Constitution. C'est le premier grand bouleversement qui suit *Les libertés à l'abandon*. Je me souviens très bien de cet été 1971 : j'étais entre la 2e et la 3e année de Sciences Po et j'avais l'impression que tout ce que j'avais appris pendant les 2 premières années était complètement redistribué par la décision du 16 juillet 1971. Le Conseil constitutionnel a ensuite affermi son contrôle. Ce mouvement initié en 1971 a en quelque sorte trouvé son aboutissement avec la révision constitutionnelle du 23 juillet 2008 et la création de la question prioritaire de constitutionnalité. Sur le terrain constitutionnel, il y a un contrôle *a priori* puis un contrôle *a posteriori*, les cartes ont été redistribuées, les principes et les garanties des droits fondamentaux exprimés par la Constitution s'imposent au législateur.

Presqu'aussi importante a été l'affirmation des normes conventionnelles. Dans *Les libertés à l'abandon*, Roger Errera, presque timidement, regrette que la France n'ait toujours pas ratifié la Convention européenne des droits de l'homme. Là aussi les événements se sont précipités : trois ans après la décision du Conseil constitutionnel en 1971 a lieu la ratification de la Convention européenne des droits de l'homme, à laquelle Roger Errera, conseiller du président Poher, n'a sans doute pas été étranger. Après cette ratification, notre édifice juridique se reconstruit aussi très largement. Il faudra encore attendre quelques années, 1981, pour le droit de recours individuel. Puis apparaît le contrôle de conventionnalité et, à partir de 1989, la pleine reconnaissance par le Conseil d'État de la supériorité des traités sur les lois. C'est une nouvelle forme de contrôle qui se met en place et qui, en matière de droits fondamentaux, s'approfondit également avec la Charte des droits fondamentaux de l'Union européenne. Sur le terrain des normes supérieures, des garanties fondamentales des droits et libertés, à partir de 1971 et de 1974, quelques années après la sortie du livre, s'engage un vaste mouvement de reconstruction de notre édifice juridique.

Deuxième grande ligne d'évolution, le contrôle du juge administratif. Dans *Les libertés à l'abandon* s'expriment quelques regrets d'une certaine faiblesse du contrôle du juge administratif en matière de garantie des droits fondamentaux. Que de changement depuis ! J'évoquerai trois points : le renouvellement du contentieux des étrangers, le rétrécissement des mesures d'ordre intérieur et la mise en place du référé liberté. Dans ces trois domaines, beaucoup des faiblesses, des limites qui étaient mentionnées dans l'ouvrage ont disparu.

Lorsque Roger Errera écrivait *Les libertés à l'abandon*, le contrôle des mesures intéressant les étrangers (l'entrée, le séjour, l'obligation de quitter le territoire) relevait de ce que l'on appelait encore la haute police, sur laquelle le contrôle du juge administratif était extrêmement limité. Quelques années après la sortie du livre a commencé un contrôle des mesures prises à l'égard de l'entrée et du séjour des étrangers en France, la reconnaissance de principes supérieurs ; ont été évoqués les arrêts *Belgacem* et *Babas* de 1991, auxquels Roger Errera était partie prenante, qui ont été la traduction du contrôle de conventionnalité en matière de droit des étrangers.

Les mesures d'ordre intérieur, qui sont très directement citées et quelque peu critiquées dans l'ouvrage, vont se rétrécir au-delà même, je pense, de ce que Roger Errera aurait pu espérer en 1967 ou 1968. D'abord avec les arrêts *Hardouin* et *Marie* en 1995 pour les punitions intéressant les militaires ou les détenus ; puis avec le contrôle des mesures d'exclusion de l'école et le développement du contentieux pénitentiaire, à partir notamment des arrêts d'assemblée de 2007, qui ont considérablement élargi le contrôle du juge en matière de droit des détenus. Là aussi le paysage s'est très largement reconstruit.

Enfin, il convient de citer l'apparition du référé liberté, la loi du 30 juin 2000, les nouveaux pouvoirs reconnus au juge administratif et la grande efficacité d'une procédure qui permet à un juge unique d'intervenir dans les 48 heures lorsqu'une autorité administrative porte une atteinte grave et manifestement illégale à une liberté fondamentale. Le juge du référé liberté a un pouvoir généralisé d'injonction à l'égard de l'administration. La procédure de référé liberté, à la fois par son vaste champ d'application et par les très grands pouvoirs reconnus au juge, a montré toute son efficacité au cours des quinze dernières années. La manière dont la juridiction administrative garantit aujourd'hui les droits et libertés des citoyens s'est profondément renouvelée dans un sens qui était celui souhaité par Roger Errera lorsqu'il écrivait *Les libertés à l'abandon*.

La troisième grande rubrique que je voudrais évoquer est celle de la loi. La loi a été très active en matière de droits et libertés. De nombreux fondements de notre droit se sont réécrits. Le nouveau Code pénal, préparé lorsque le président Badinter était garde des Sceaux et adopté ultérieurement, a réécrit notre droit pénal dans un sens protecteur des droits et libertés, avec en particulier l'affirmation du crime de génocide, l'inscription des crimes contre l'humanité dans le Code pénal et l'apparition de la responsabilité pénale des personnes morales.

Notre droit civil s'est considérablement enrichi et développé, des pans entiers ont été réécrits, les droits de la personne ont été marqués par des lois qui visent à permettre à chacun de vivre sa vie à sa manière : la loi sur l'interruption volontaire de grossesse, la loi sur le pacte civil de solidarité, la loi sur le mariage entre personnes de même sexe…

À côté de ces bases fondamentales du droit pénal et du droit civil, beaucoup de législations plus particulières sont venues renforcer les droits fondamentaux. On pense en particulier à l'audiovisuel. Le temps de la télévision dirigée est révolu au moins depuis la loi de 1982 qui a posé le principe de la liberté de la communication audiovisuelle. Le droit de l'audiovisuel s'est considérablement réformé avec l'apparition d'une autorité administrative indépendante de régulation de l'audiovisuel. Dans le domaine de la bioéthique, les lois, souvent inspirées par des études du Conseil d'État, à partir de 1994, régulièrement révisées, ont posé des droits nouveaux devant les progrès de la médecine, de la biologie, et imposé des devoirs à tous ceux qui interviennent dans les différentes professions de santé. Le législateur a été très actif, on pourrait en trouver de nombreux autres exemples.

Si bien que le livre pourrait être regardé comme le point de départ d'un mouvement de garanties renforcées des droits et libertés. Le paysage, presqu'un demi siècle après, est très différent et profondément renouvelé, bien meilleur garant des droits et libertés.

2. Il n'en demeure pas moins qu'il faut aussi garder du message des *libertés à l'abandon* le besoin d'une vigilance, toujours nécessaire en matière de liberté. Il y a eu de grandes réalisations, d'incontestables progrès, des affermissements considérables. De lourdes questions se présentent aussi devant nous, auxquelles il faudra réfléchir pour apporter des éléments de réponse. Quelques têtes de chapitre se distinguent : les rapports de l'Europe et de la démocratie ; l'importance des bouleversements géopolitiques ; les enjeux nouveaux en matière de droits fondamentaux.

Les rapports entre l'Europe et la démocratie sont l'un des sujets qui vont susciter des questions majeures dans les années qui viennent pour nous, pays d'Europe, et notamment pour les Français et les Britanniques, héritiers de la Magna Carta et de la Déclaration des droits de l'homme. Nous avons en Europe, au travers des traités, au travers des deux cours (Cour européenne des droits de l'homme, Cour de justice de l'Union européenne), des mécanismes régulateurs remarquables et un espace sans précédent de garantie collective des droits fondamentaux.

Mais nous avons aussi de véritables interrogations sur la légitimité des interventions des uns et des autres, sur la cohérence des droits nationaux et des deux branches du droit européen – droit de l'Union et droit de la Convention européenne des droits de l'homme. Nous avons des interrogations en matière de souveraineté. On a beaucoup parlé à partir de la Magna Carta du souverain. Qui est le souverain dans l'Europe d'aujourd'hui ? Comment s'exerce la souveraineté en Europe ? Nous avons sur ces sujets des tensions, qui sont surmontées, qui parfois persistent.

Elles sont surmontées très largement sur la question du crucifix dans les écoles publiques en Italie ou sur l'harmonisation entre la liberté de la presse et la protection de la vie privée en Allemagne, mais elles ont été assez vives. Des interrogations existent sur la conception française de la laïcité dans l'espace européen, sur la question du droit de vote des prisonniers au Royaume-Uni. Les mécanismes européens permettent des combinaisons, des conciliations, des conjugaisons ; des interrogations existent néanmoins dans l'espace européen. Ces interrogations sont tout de même peu de chose par rapport aux bouleversements géopolitiques que nous connaissons, tragiquement rappelés par l'actualité de ces dernières semaines.

Ces bouleversements soulèvent au moins deux séries de très grandes questions en matière de droits fondamentaux : celles de la crise de l'asile débouchant sur une crise des migrants. Le droit d'asile, droit fondamental par excellence, est compromis dans son exercice même. Les pays européens ont beaucoup de mal à respecter eux-mêmes les garanties qu'ils ont édictées en la matière. À côté de l'asile se développe cette crise des migrants qui pose à tous les pays européens des questions majeures.

À ce premier axe très lourd d'interrogations, s'ajoutent les interrogations sur le renseignement, le terrorisme, la protection des démocraties face aux dangers du terrorisme. Il est très frappant de voir que dans l'année qui précède, le Parlement a voté trois lois : en novembre 2014, une loi de lutte contre le terrorisme qui crée notamment les interdictions de sortie du territoire ; en juillet 2015 une loi sur le renseignement ; le 20 novembre 2015 la loi qui proroge l'état d'urgence et modifie la loi du 3 avril 1955. Nous mesurons bien la difficulté de donner les réponses juridiques appropriées au défi majeur que nos démocraties connaissent.

Dernier point, des questions nouvelles apparaissent en matière de libertés et de droits fondamentaux, de manière peut-être plus apaisée mais aussi avec des enjeux extrêmement importants. J'en évoquerai quatre.

Tout d'abord la question des signes religieux, dont on a parlé dans le cadre scolaire. Cette question dépasse de beaucoup le cadre de l'école. Le vivre ensemble interroge, avec des réponses parfois différentes entre le

Royaume-Uni et la France, sur les signes religieux dans l'espace public et dans les lieux de travail.

Deuxièmement, tous les sujets liés à l'environnement. En ce jour d'ouverture de la Cop 21, nous voyons bien que le développement durable a rejoint les droits fondamentaux. Le principe de précaution, la responsabilité environnementale sont des questions essentielles d'évolution de nos systèmes juridiques.

Troisièmement, le droit qui se développe au-delà de toute frontière, de tout contrôle, dans les domaines d'internet et des réseaux numériques constitue également un sujet majeur – sur lequel une étude du Conseil d'État a apporté un éclairage important. Tous les pays y sont confrontés, la Cour de justice de l'Union européenne a rendu au moins deux arrêts majeurs sur le droit d'internet. Tous les pays européens et tous les pays du monde rencontrent aujourd'hui des questions inédites de protection de la vie privée, de l'intimité individuelle face à la mémoire infinie des réseaux numériques.

Enfin, une dernière série de questions plus individuelles : les problèmes de vieillissement et de fin de vie. Ces questions ont été beaucoup développées l'an passé devant le Conseil d'État, l'affaire Vincent Lambert a touché le pays, mais des affaires tout à fait comparables ont été examinées en Italie et au Royaume-Uni. D'ailleurs, certaines décisions du Conseil d'État, sur ce point comme sur beaucoup d'autres, s'inspirent beaucoup des solutions de droit comparé avant que la Cour européenne des droits de l'homme vienne consacrer la conformité des principes retenus avec les exigences conventionnelles.

Ce ne sont que quelques exemples à la fois très variés et très lourds quant à leur contenu et quant à la forme des interrogations qui se développent. Ils nous invitent à réfléchir ensemble. Sur ces sujets, il n'existe pas de solution simple, le droit est moins que jamais figé. Ils nécessitent une recherche, et la vigilance à laquelle Roger Errera nous a si bien et si fortement appelé doit continuer à nous guider.

LES JUSTES LIMITES DE LA LIBERTÉ

Jean-Marie DELARUE*

Roger Errera était, bien avant que je ne la rejoigne, rapporteur à la deuxième sous-section du contentieux, celle des libertés publiques. Nous avons donc été compagnons des lundis et mercredis. À travers la lecture de ses rapports, les discussions qui s'ensuivaient, les conversations que nous avions, il a contribué au Conseil d'État puis, plus tard, pendant des années, à l'ENM, dans quelque bureau administratif, chez lui... à définir ce à quoi je crois.

Nous manquent non seulement son engagement profond, son courage et son humour inaltérable – caractères de sa personne – mais aussi le prix qu'il attachait sans se lasser aux libertés, devenues aujourd'hui peut-être moins « tendance » depuis que la « sécurité » a pris la place de « l'ordre public ».

Il n'aurait pas manqué, lui, de relever qu'il y avait un léger paradoxe dans la circonstance que cette réunion d'hommage se tienne à un moment où la loi du 3 avril 1955 relative à l'état d'urgence est mise en œuvre.

Ce n'est pas la liberté que je vais évoquer ici, mais sa privation. Précisément parce que la privation de liberté est étroitement enserrée par la loi – nationale et internationale – et la jurisprudence, je voudrais montrer les limites de celles-ci par deux illustrations : le recours à la privation de liberté et l'exécution de la privation de liberté. Sur ce second point, la prison sera ma principale illustration.

* Conseiller d'État, ancien Contrôleur général des lieux de privation de liberté.

I. LE RECOURS À LA PRIVATION DE LIBERTÉ

Il faut en la matière évidemment regarder du côté de la cognée, c'est-à-dire du côté de celui que concerne la privation de liberté, la question étant : faut-il se féliciter ou se plaindre de l'enfermement de quelqu'un ? De multiples débats existent sur ce point.

Mais il faut s'intéresser tout autant au côté du manche, c'est-à-dire à la propension au recours à l'enfermement de la puissance publique puisque c'est à elle qu'appartient, selon la formule de Carré de Malberg, de sanctionner la transgression. Sur cette matière, somme toute simple, nous manquons d'analyses de long terme. Nous manquons aussi d'indicateurs systématiques : par exemple, le nombre de personnes privées de liberté chaque année n'est pas calculé par la puissance publique. Selon le Contrôle général des lieux de privation de liberté, nous en sommes en France à près de 800 000 mesures de privation de liberté. Ce qui n'est pas tout à fait anodin…

Essayons cependant d'y voir clair. Et mon propos s'inscrit ici dans la ligne des termes que vient d'employer le président de la section du contentieux. Des transformations importantes et positives ont eu lieu, et ce à trois niveaux.

1. On a pu d'abord observer de remarquables évolutions dans les garanties qui entourent la privation de liberté.

Le droit à la sûreté – c'est-à-dire le droit de ne pas être privé de liberté de façon arbitraire – a été illustré de manière très précise.

La jurisprudence du Conseil constitutionnel s'est développée à propos notamment des articles 2 et 4 de la Déclaration des droits de l'homme et de l'article 66 de la Constitution. Elle rappelle – « inlassablement » – la conciliation entre la prévention des atteintes à l'ordre public et la recherche des auteurs d'infraction, d'une part ; et l'exercice des libertés constitutionnellement garanties, d'autre part, au nombre desquelles figure la liberté d'aller et de venir ainsi que la liberté individuelle.

De son côté, la Cour européenne des droits de l'homme (CEDH) a marqué le caractère d'exception que doit revêtir la privation de liberté et l'interdiction de principe de toute détention arbitraire. Elle a précisé les garanties applicables aux personnes privées de liberté tant au cours de la période suivant l'interpellation et le développement de la procédure pénale que dans celui de l'exécution de la peine. Sur ce dernier point, à partir de l'article 3 de la Convention européenne des droits de l'homme, relatif à la prohibition de la torture, la CEDH a, selon la formule du Professeur Flauss, inventé un véritable article 3bis sur les droits des personnes détenues.

Enfin, la loi interne, stimulée par le juge comme par divers événements factuels ou durables, a amélioré les garanties applicables. Je pense à la loi générale du 15 juin 2000 sur la présomption d'innocence, et à diverses lois plus « spécialisées » : par exemple la loi du 9 mars 2004 sur l'application des peines, la loi pénitentiaire du 24 novembre 2009, la loi du 14 avril 2011 sur la garde à vue, la loi du 5 juillet 2011 (revue en 2013) sur les hospitalisations sans consentement.

Je me limiterai à un seul exemple : une des conséquences, sans doute imprévue, de la loi du 12 avril 2000 relative, on le sait, aux relations entre l'administration et les usagers, en particulier de son article 24 – suivant lequel toute décision défavorable doit être précédée par une audition de l'intéressé possiblement assisté d'un conseil –, a été de permettre aux avocats de venir défendre les détenus traduits devant « le prétoire » (c'est-à-dire les commissions disciplinaires des établissements pénitentiaires). L'administration pénitentiaire, qui n'y est pas venue vraiment spontanément, a dû, après quelques années, s'y résoudre. Cette présence des avocats dans les prisons après le procès est désormais un fait acquis.

2. Il faut citer ensuite les progrès notables dans les modalités de la privation de liberté, qui tiennent à plusieurs facteurs.

a) Des effets de structure dans la population privée de liberté

Le plus significatif concerne la population pénale. Pendant longtemps, la France s'est singularisée par un usage immodéré de la détention provisoire. Le taux de prévenus, lorsque Roger Errera signe *Les libertés à l'abandon*, n'est pas loin de la moitié des détenus. Désormais, ce taux est stabilisé au quart des personnes détenues, c'est-à-dire à un niveau comparable à celui de nos voisins.

b) Des effets de structure dans les personnels chargés de la mise en œuvre de la privation de liberté

Des changements sociologiques significatifs sont intervenus au sein de ce qu'on appelle désormais les forces de sécurité, tels que le niveau d'instruction au recrutement et la féminisation de ces personnels.

Des politiques volontaristes de formation sont mises en œuvre, aussi bien au plan quantitatif (par exemple il est prévu 8 mois de formation à l'École nationale d'administration pénitentiaire pour un surveillant) qu'au plan qualitatif (les droits de l'homme sont maintenant enseignés).

c) De manière générale, on assiste à la fin de la solitude de la personne privée de liberté face à la police ou au médecin

Le droit de se défendre devient une réalité. On peut citer l'exemple de la période d'observation des malades admis aux soins sans consentement sur décision préfectorale (dans le cadre de l'Assistance en soins psychiatriques à la demande du représentant de l'État) pendant laquelle la présence de l'avocat était exclue *de facto* jusqu'à la loi de 2011.

3. On doit aussi s'efforcer de voir clair dans l'usage de la privation de liberté, qu'il s'agisse d'usage quantitatif ou d'usage qualitatif.

a) L'usage quantitatif

Il s'est très fortement accru depuis 40 ans, particulièrement dans trois domaines :

- En matière de détention

Les chiffres sont éloquents. En 1975-1979, il y avait à peu près 30 000 personnes détenues (« stock »). Et, au 1er septembre 2015, nous en étions à 65 544. Bien entendu, cette multiplication par plus d'un facteur 2 ne s'explique pas par l'accroissement de la délinquance ou par l'accroissement démographique. En effet, depuis 2000, la population française a augmenté de 7 % et la population carcérale de 54 %...

Par conséquent, depuis quarante ans, nous sommes en train d'inverser une tendance de long terme à la baisse, amorcée au XIXe siècle (si on ne tient pas compte de la période des guerres et de la Libération). Il apparaît qu'aujourd'hui le ratio population incarcérée/population totale qui est de 100 pour 100 000 environ est celui qu'on avait atteint en 1890 (et qui avait diminué depuis). C'est bien là une régression.

- Dans le domaine de la garde à vue

On observe la même évolution que précédemment. En 1975-1979, il y avait 221 500 gardes à vue. Et en 2013-2014, on en dénombrait 456 000, c'est-à-dire 365 000 gardes à vue comptabilisées par la police et la gendarmerie hors infractions routières ; soit, celles-ci incluses, un nombre à accroître de 25 % environ, selon les observations du Contrôle général des lieux de privation de liberté.

On observe donc ici aussi une multiplication par un facteur 2. Et naturellement sans aucune autre cause que la manière dont on imagine que la garde à vue doit jouer un rôle dans la vie publique.

- S'agissant de l'hospitalisation sans consentement

C'est l'exemple le plus frappant, mais pour lequel on ne dispose pas, malheureusement, de données anciennes.

Pour les deux types de mesures en la matière, que sont l'Admission en soins psychiatriques à la demande d'un tiers et l'Admission en soins psychiatriques à la demande du représentant de l'État (en l'occurrence du préfet), les statistiques pour 2011 étaient respectivement de 63 000 et de 15 000 ; et l'on observait ces dernières années un rythme d'augmentation annuelle de 7 à 8 %, soit environ 25 % tous les 5 ans. Et si on appliquait cette grille aux 40 ans qui ont servi jusqu'ici de référence, on aboutirait à une augmentation de 200 % !

Cet accroissement est à mes yeux le plus significatif : la prévalence de la maladie mentale est à mon avis identique dans notre pays. Elle ne change pas naturellement, pas à court terme.

Il existe aujourd'hui une tendance lourde à un enfermement accru, qui ne se manifeste d'ailleurs pas seulement sous les formes « traditionnelles » de la privation de liberté. Je suis notamment frappé par ce qui se produit dans les Établissements hospitaliers pour personnes âgées dépendantes.

b) L'usage qualitatif

Il s'est profondément modifié. Ces changements interviennent dans un mouvement de *furia* législative, notamment en matière de procédure pénale, au nom de la sécurité.

La loi nouvelle, souvent erratique dans son inspiration (voir les dispositions relatives à l'aménagement des peines par exemple), se traduit par trois éléments majeurs depuis 40 ans :

- Un déplacement de la sévérité du juge des atteintes aux biens vers les atteintes à la personne : des infractions non punies de détention autrefois conduisent aujourd'hui à l'incarcération (violences intrafamiliales, violences routières) et inversement.

- La multiplication à la fois des petites peines (78 % des condamnés sont incarcérés pour des peines égales ou inférieures à 1 an) et des longues peines (grossièrement 200 condamnés dans les prisons françaises à des peines supérieures à 20 ans en 1981 ; 2 000 aujourd'hui).

- L'essor, dans les quarante dernières années, des solutions pénales qui sont des alternatives aux poursuites ou des alternatives à l'incarcération. La prison n'est pas, et de loin, la solution la plus adoptée par le juge pénal : sur les 583 000 décisions de ce dernier en 2014, l'emprisonnement représente à peine plus de 21 %. Mais l'essor de la population privée de liberté n'en est, dans ce contexte, que plus significatif. Tout se passe comme si, loin de diminuer le recours à la privation de liberté, les mesures alternatives avaient attiré dans la chaîne pénale, prise au sens large, des personnes qui n'y figuraient pas auparavant.

II. LA PUISSANCE DE LA LOI DANS LES LIEUX DE PRIVATION DE LIBERTÉ

On vient d'évoquer l'évolution du droit positif. Il faut donc s'interroger sur la puissance de transformation de la loi dans les lieux de privation de liberté. La gestion de ces derniers est très difficile. Il faut y concilier la dignité des personnes avec de fortes exigences de sécurité nécessaire : faire obstacle à l'évasion ; population jeune et difficile ; discipline collective ; gestion des grands nombres puisque le choix a été fait depuis la loi sur le service public pénitentiaire (1985) « d'industrialiser la captivité ».

1. Il faut commencer par évoquer la loi pénitentiaire du 24 novembre 2009.

Elle est votée en raison d'un contexte bien défini, qui comporte trois facteurs :

- Celui d'une interrogation sur les conditions de vie carcérale (depuis l'orée des années 2000).
- Celui d'une réglementation largement issue de décrets simples, à savoir confectionnés par l'administration pénitentiaire elle-même.
- Celui des coups de boutoir de la Cour européenne des droits de l'homme (selon le témoignage de son ancien président Jean-Paul Costa, la France y était condamnée chaque fois qu'une affaire avait pour origine une personne détenue dans une prison française) et du juge administratif.

Quel est le contenu de la loi pénitentiaire ?

On y trouve des aspects évidemment mêlés visant à la fois les personnels, proclamés troisième force de sécurité du pays (on peut y voir une manière de revaloriser leur rôle) : citons par exemple les dispositions sur la réserve pénitentiaire ; les conditions élargies de l'aménagement des peines ; enfin les conditions d'incarcération.

Sur ce dernier point, il faut voir dans cette loi une véritable « déclaration des droits des détenus » ou plutôt des « personnes détenues », glissement sémantique significatif, imposé au Conseil d'État. Plusieurs de ses dispositions en sont l'illustration :

Art. 22 : « L'administration pénitentiaire garantit à toute personne détenue le respect de sa dignité et de ses droits. L'exercice de ceux-ci ne peut faire l'objet d'autres restrictions que celles résultant des contraintes inhérentes à la détention... » ;

Art. 24 : « Toute personne détenue doit pouvoir connaître ses droits » ;

Art. 35 : « Le droit des personnes détenues au maintien des relations avec les membres de leur famille s'exerce... » ;

Art. 39 : « Les personnes détenues ont le droit de téléphoner aux membres de leur famille... » ;

Art. 44 : « L'administration pénitentiaire doit assurer à chaque personne détenue une protection effective de son intégrité physique... ».

2. À la suite de cette loi, la réalité carcérale a-t-elle pour autant changé ?

La réponse à une question aussi abrupte est d'appréciation difficile ; mais la réponse doit être néanmoins globalement négative.

Surgit alors une autre question. Quelle est donc la force de la loi en prison ? Trois ordres de facteurs sont à considérer :

a) En premier lieu, la loi et la conjoncture

D'abord, la loi pose elle-même un principe de conditionnalité aux droits qu'elle pose : tous les droits qu'elle reconnaît sont subordonnés à l'obligation qu'a l'administration d'assurer la sécurité, le bon ordre de l'établissement, et aussi la prévention de la récidive et la protection de l'intérêt des victimes. C'est sans doute tout à fait incontestable, sauf que l'appréciation de ces obligations est évidemment parfaitement unilatérale. Ce qui se comprend pour le bon ordre, peut-être moins pour le sujet de la protection des victimes.

Ensuite, le renforcement des effectifs de personnes incarcérées, précédemment évoqué, conduit à des effets de surpopulation dans les maisons d'arrêt (la surpopulation tous établissements est de 118 %, mais dans les maisons d'arrêt le taux est de 135 %), dont certains sont des manifestations de long terme (exemples des maisons d'arrêt vendéennes, de celle de Nîmes, de celles de Polynésie ou de Nouvelle-Calédonie). Dans un contexte budgétaire tendu, il en résulte une prise en charge beaucoup moins réelle, malgré les efforts des personnels.

b) Deuxième ordre de raisons pour lesquelles la loi ne donne pas les résultats qu'on pourrait en attendre : le fonctionnement des établissements.

Trois éléments sont à mentionner dans cette matière, pour faire bref.

- L'administration ne contrôle dans les prisons que les coursives et les lieux d'activité. Ni les cellules (où la personne détenue passe le plus clair de son temps), ni les cours de promenade ne sont contrôlées. Ce sont des lieux jugés aventureux, donc dangereux, et d'ailleurs les personnels manifestent peu d'intérêt pour ce qu'il y advient. La loi se trouve ainsi limitée *ipso facto.*
- L'administration peut s'opposer à certaines évolutions législatives qui ne lui conviennent pas. On touche ici aux jeux internes entre autorités et organisations professionnelles. Il y a deux dispositions de la loi pénitentiaire que l'on pourrait citer à ce propos : celles qui concernent le droit à l'image (art. 41) et celles relatives aux fouilles à corps (art. 57).

Dans ces deux exemples, les dispositions légales n'ont pas été mises en œuvre (art. 41) ou l'ont été par des simulacres. Il a fallu, après de nombreuses décisions de tribunaux administratifs, une décision du Conseil d'État pour que, quatre ans après la promulgation de la loi, le régime des fouilles « de sécurité » (à corps) évolue.

La loi est mal connue et elle suscite peu de réactions dans un univers clos.

- Surtout le bon ordre est assuré par des personnels en face à face avec les personnes détenues. L'autorité réelle de ces agents ne procède pas de la loi mais de la manière concrète dont eux-mêmes, et éventuellement leurs supérieurs immédiats, souhaitent procéder pour imposer leur volonté aux personnes incarcérées.

« La loi, c'est moi », devise de l'agent pénitentiaire, pourrait être le leitmotiv du fonctionnement quotidien. Ou, selon la formulation de l'un d'eux, « Article 1er : Le surveillant a toujours raison ; article 2 : Toujours se souvenir de l'article 1er ».

L'exemple le plus caractéristique à cet égard, parce que le plus sensible, est relatif à l'écart entre les poursuites disciplinaires prescrites par le Code de procédure pénale et celles qui sont effectivement exercées. Le surveillant tranche deux questions : faut-il punir ou négocier ? Si l'on punit, est-ce en suivant les procédures ou non ? Les réponses sont très variables selon les personnes et les établissements.

Dans ce contexte (cf. « La figure du procédurier » dans le rapport 2013 du Contrôleur général des lieux de privation de liberté), l'accès de la personne détenue au droit, notamment à celui de se défendre, apparaît comme une remise en cause, peu admise par les agents, de l'autorité indispensable du personnel. De multiples conflits, parfois avec de graves conséquences, se déduisent de ces positions (cf. le récit d'une personne ayant saisi le procureur d'une plainte : « Tu la retires ou je signe ton transfert »).

c) En dernier lieu, enfin, une nouvelle conception de la personne détenue tend à rendre plus aléatoire l'application des principes législatifs.

Depuis 2005, la dangerosité est inscrite dans la loi pénale française. Une telle conception a de multiples incidences ; elle a, par exemple, conduit à la loi de 2008 relative à la rétention de sûreté. Mais de manière plus banale, elle conduit à une différenciation dans la gestion des personnes. Ainsi la loi pénitentiaire de 2009 modifie l'article 717-1 du Code de procédure pénale en précisant que le régime de détention est désormais déterminé non seulement par la personnalité de la personne détenue ou sa santé mais aussi par sa dangerosité.

Or, la dangerosité, malgré l'appareil d'apparence scientifique dont on prend soin de l'entourer, après les pays anglo-saxons, demeure un concept insaisissable (sur ce point, v. le rapport pour 2011 du Contrôleur général des lieux de privation de liberté, p. 64 et s.). En tout état de cause, elle conduit à la nécessité de « trier » la population pénale, faculté qui se traduit par un nouveau pouvoir de l'administration pénitentiaire

CONCLUSION

La CEDH a introduit une notion que les juristes ont du mal à intégrer dans leurs réflexions, parce qu'ils pensent souvent qu'elle n'entre pas dans leurs compétences : celle d'effectivité. Pourtant, le juge européen, lui, décortique page après page, dans ses arrêts, de manière parfois laborieuse, des situations très concrètes afin de déterminer si le droit reconnu a été, au cas d'espèce, effectif. C'est ce qu'il convient de faire en matière de privation de liberté. S'il est constaté que la loi est impuissante, c'est une autre manière de dire qu'elle n'est pas effective.

Roger Errera s'est intéressé depuis bien longtemps aux conditions concrètes de l'application des lois. Je souhaite qu'aujourd'hui il en aille en particulier ainsi pour les lieux de privation de liberté, dans lesquels la puissance publique exerce des prérogatives sans partage vingt-quatre heures sur vingt-quatre. La loi y sera sans doute d'effet accru si, à la fois leur ouverture vers l'extérieur s'accroît (c'est-à-dire faire venir le droit commun dans les lieux clos) et si le juge, judiciaire ou administratif, peut y jouer pleinement son rôle.

TROISIÈME PARTIE

Et ce sera justice…[*]

« Nulli vendemus, nulli negabimus, aut differemus rectum aut justiciam »[**]

[*] R. ERRERA, *Et ce sera justice ... Le juge dans la cité*, Paris, coll. « Le débat », Gallimard, 2013.
[**] Nous ne vendrons, refuserons ou différerons le droit d'obtenir justice à personne / *To no one will we sell, to no one deny or delay right or justice* (Magna Carta, § 40).

REGARD SUR LES ÉVOLUTIONS DE LA JUSTICE JUDICIAIRE

Jean-Paul JEAN*

Lorsqu'Aristide Lévi m'a demandé d'intervenir lors de ce colloque organisé à la mémoire de Roger Errera, j'ai immédiatement accepté ; comme un honneur sans doute, mais aussi comme une dette envers ce dernier. Une dette intellectuelle, un regret également pour n'avoir pas pris le temps d'échanger suffisamment avec lui suite à la belle lettre qu'il m'avait adressée à propos de l'article de « La Quinzaine littéraire » sur son dernier ouvrage *Et ce sera justice*[1].

Je lui ai proposé de ne pas intervenir seul, mais conjointement avec Denis Salas dont je savais les liens avec Roger Errera, tissés à l'École nationale de la magistrature. Roger Errera s'est toujours particulièrement intéressé à la justice judiciaire et ce n'est pas un hasard si le sous-titre du même ouvrage est *Le juge dans la cité*, titre du premier numéro thématique des Cahiers de la Justice[2].

« *Roger Errera et la justice judiciaire* » est donc la thématique commune de l'intervention que nous nous sommes partagée. Je traiterai de la place et du rôle *des juges* judiciaires dans le système de justice. Denis Salas abordera la question de la formation et de l'éthique *du juge* au vu notamment des travaux de Roger Errera sur la magistrature, enrichie de son

---

* Président de chambre à la Cour de cassation, directeur du service de documentation, des études et du rapport, chef du service des relations internationales.

[1] R. ERRERA, *Et ce sera justice... Le juge dans la cité*, Gallimard, 2013. Ouvrage présenté par J.-P. JEAN, *Les armes du droit*, La Quinzaine littéraire, 16 mars 2013, p. 26.

[2] « Être magistrat dans la cité, entre légitimes attentes et tentations démagogiques », *Les Cahiers de la justice*, Dalloz, 2007, n° 2.

expérience au sein du Conseil supérieur de la magistrature (CSM) de 1998 à 2002.

J'ai relu avec bonheur et étonnement la première version des *Libertés à l'abandon*, écrite en 1967, publiée l'année suivante[3]. On ne peut s'empêcher de se demander pourquoi ce jeune maître des requêtes s'intéresse tant à la justice judiciaire, dans une approche de fondu-enchaîné permanente avec la justice administrative. Je vais insister sur ce rôle de « passeur », relevé par le vice-président Sauvé, entre les deux cultures, celle des juges judiciaires et celle des juges administratifs, sur le plan des libertés, et les phénomènes d'acculturation qui ont pu se produire.

La remise en contexte s'éclaire immédiatement lorsque l'on voit que le commentaire de l'ouvrage dans *Le Monde* du 9 décembre 1968 est signé Pierre Vidal-Nacquet, qui évoque l'affaire Maurice Audin et la guerre d'Algérie. L'autre juge cité dans ce même article est Casamayor. L'un et l'autre écrivent alors dans les revues et journaux : *Critique*, *Esprit*, *Le Monde*.... L'un signe de son nom, l'autre pas. Serge Fuster – Casamayor –, juge franc-tireur qui a été temporairement suspendu de son poste en février 1966 – suspension exécutée en pleine audience à la Cour d'appel de Paris –, pour avoir dénoncé le garde des Sceaux de l'époque – Jean Foyer –, comme « le maître du non-lieu », à propos de l'affaire Ben Barka, dans un article intitulé « Le silence des morts »[4].

La forme de l'expression de Roger Errera est toute différente. Pierre Vidal-Nacquet souligne les « fructueuses explications de textes », « les analyses rigoureuses » et la présentation de « documents souvent peu connus », parmi lesquels une certaine Convention de sauvegarde des droits de l'homme de 1950....

Mais Casamayor, résistant, était un magistrat de la génération précédente. La génération des jeunes juges qui émerge en 1968 est celle qui a connu la guerre d'Algérie ou ses derniers soubresauts, qui se forme au Centre national d'études judiciaires (CNEJ, future ENM) et qui fonde le syndicat de la magistrature – alors perçu comme force de rénovation de l'institution judiciaire –, l'année de parution des *Libertés à l'abandon*.

Élément essentiel à relever encore plus aujourd'hui, ces générations de juges sont nées dans la profession sous une justice d'exception, celle de la guerre d'Algérie, avec une mise sous tutelle de la magistrature par le

[3] R. ERRERA, *Les libertés à l'abandon*, Éd. du Seuil, 1968.

[4] D. SALAS et E. VERLEYN, « Au cœur des ténèbres. Sur l'œuvre de Casamayor », *Histoire de la justice*, La documentation française, 2001, pp. 269-289 ; J.-P. ROYER, J.-P. JEAN et alii., *Histoire de la justice en France (1715-2010)*, 4e éd., PUF, 2010, p. 1103 et s.

politique pour toutes les affaires sensibles. C'est à cette génération de juristes que l'on doit la progression constante de l'État de droit et de la justice de droit commun, jusqu'à leur consécration en 1981 portée par Robert Badinter. On leur doit aussi l'émancipation progressive des juges dans la défense des libertés, les justices judiciaires et administratives suivant des chemins parallèles.

Je vous propose quelques éclairages, 47 ans plus tard, sur des avancées du droit et des libertés portées avec constance par Roger Errera tout au long de cette période – et développées dans l'édition de 1975 –, afin de voir leur cheminement et parfois leur aboutissement.

S'il existe une constante chez Roger Errera, c'est l'intérêt permanent qu'il porte aux minorités, aux plus faibles : l'étranger, le tzigane, le détenu….

Mais les armes nouvelles du droit qu'il affûte sont déjà dans son ouvrage. D'abord, dès 1968 : *Une* Convention européenne de sauvegarde des droits de l'homme et des libertés fondamentales signée en 1950 (on ne dit pas encore *La* Convention). Dans son chapitre « Au-delà du cadre étatique », il relève que l'Europe est en avance sur le reste du monde, mais souligne que « l'innovation » réside dans le droit au recours individuel et que la France, si elle a signé la Convention, ne l'a pas ratifiée. Il en donne l'explication, qui touche deux questions. D'abord celle de la laïcité, à savoir la peur de voir s'appliquer l'article 2 du protocole additionnel sur le droit à l'instruction en respectant le droit des parents à assurer à leurs enfants l'enseignement correspondant à leurs convictions religieuses et philosophiques, qui aurait pu obliger au financement de l'enseignement privé ; cela explique à l'époque l'opposition à cette ratification de la Ligue des droits de l'homme… Le second problème – et cela nous ramène aux tragiques événements que nous vivons aujourd'hui –, touche à la situation d'exception due aux « événements » en Algérie. Roger Errera relève cependant qu'en 1961 le gouvernement Français assurait déjà qu'en tout état de cause pourrait être invoqué l'article 15 de la Convention permettant de prendre des mesures dérogatoires en cas d'état d'urgence, de « danger public menaçant la vie de la Nation ».

Défense des droits des minorités et des plus défavorisés, intuition que l'Europe sera l'aiguillon qui fera avancer les droits nationaux grâce au recours individuel. Près d'un demi-siècle plus tard, cette perspective pensée par Roger Errera est devenue une réalité, sans doute fragile : le juge judiciaire de 2015 est à la fois un *juge du quotidien et un juge européen*. Ce seront mes deux rapides éclairages.

Juge du quotidien, tout d'abord.

Le juge judiciaire, et c'est sa spécificité, est le juge de l'humain. C'est le juge des contentieux de masse, le juge à tout faire, qui traite 2,7 millions d'affaires nouvelles par an en matière civile et commerciale[5].

Mais derrière ces contentieux de masse, existent toujours des droits et des personnes à respecter. Tout citoyen aujourd'hui peut avoir affaire à la justice en matière familiale dont le contentieux représente plus de la moitié des affaires devant les tribunaux de grande instance. Les juges des tutelles interviennent dans plus de 800 000 dossiers intégrant des mesures de protection judiciaire. Et dans le contentieux des impayés, du licenciement, du logement, de la consommation, combien de réformes législatives pour que le droit des pauvres ne soit plus un pauvre droit ? La loi sur le surendettement en 1989[6], la loi sur la prévention des expulsions en 1998[7], bien d'autres textes ont apporté des garanties procédurales, des dispositifs alternatifs pour la résolution des litiges. Et comment ne pas évoquer les difficultés quotidiennes du juge des enfants, juge dans la cité sans doute, mais de plus en plus difficilement juge dans les cités ?

J'ai évoqué plus haut les phénomènes d'acculturation sous l'influence des juges. Les principes judiciaires du respect des droits, du débat contradictoire, des droits de la défense ont progressivement irrigué des dispositifs administratifs, comme dans les années quatre-vingt celui touchant le droit de l'aide sociale à l'enfance, ensuite le droit disciplinaire, puis le droit pénitentiaire. Le droit des étrangers s'est judiciarisé et complexifié à l'extrême, et est aussi devenu dans les tribunaux administratifs un contentieux de masse à concilier avec le regard de chaque individu qui comparaît. Cette culture du rapport direct aux justiciables les plus démunis pour le respect de leurs droits, que possédait seul le juge judiciaire en matière civile et pénale, clairement identifié comme *le juge naturel des libertés*, est donc désormais ponctuellement partagée par le juge administratif, qui a également intégré depuis 2000[8] la culture du référé dont on mesure l'importance aujourd'hui pour les libertés.

---

[5] *Les chiffres-clés de la Justice 2015*, Ministère de la Justice, Sous-direction de la Statistique et des Études.

[6] Loi n° 89-1010 du 31 décembre 1989 relative à la prévention et au règlement des difficultés liées au surendettement des particuliers et des familles.

[7] Loi n° 98-657 du 29 juillet 1998 d'orientation relative à la lutte contre les exclusions.

[8] Art. L 511-1 s du Code de justice administrative, Loi n° 2000-597 du 30 juin 2000.

L'accès à la justice et les moyens dont elle dispose

Roger Errera posait aussi dès 1968 les questions relatives à l'accès à la justice, à « l'assistance judiciaire », aux faibles moyens budgétaires, discutés dans un hémicycle vide, et soulignait le désintérêt des politiques.

Je ne pense pas qu'il s'agissait d'un désintérêt, mais plutôt d'un choix politique. La loi du 3 janvier 1972 créant l'aide judiciaire a remplacé la loi du 22 janvier 1851 sur l'assistance judiciaire[9]. Ce système sans doute imparfait permet toutefois chaque année à 900.000 justiciables d'être défendus en matière civile, pénale et dans le domaine du droit des étrangers[10].

La part de la justice judiciaire dans le budget de l'État, quant à elle, a incontestablement augmenté. De 0,79 % en 1967, comme le relevait alors Roger Errera, 1 % en 1980, elle était passée à 1,7 % en 2002 et est aujourd'hui à 2,7 %[11]. Mais cette donnée globale, à pondérer au vu du recentrage budgétaire sur les fonctions régaliennes, masque d'importantes distinctions. En effet, depuis le budget 2012, les crédits consacrés à l'administration pénitentiaire ont, pour la première fois dans l'histoire, dépassé ceux alloués aux services judiciaires, ceux qui permettent aux juges de rendre justice[12]. Cette rupture historique, qui a vu le budget de l'administration pénitentiaire progresser de 28 % du budget de la justice en 1997 à 42 % aujourd'hui ne peut mécaniquement que se confirmer dans l'avenir, du fait de l'accroissement de la population pénitentiaire, malgré la baisse de la détention provisoire et le développement des procédures alternatives dont le recours au bracelet électronique.

Quelques rapides observations s'imposent sur les spécificités des *mutations du système pénal.*

Le rôle du juge s'est développé en prison, comme le souhaitait Roger Errera, après la progressive mise en œuvre de la judiciarisation de l'application des peines.

---

[9] Loi n° 72-11 du 3 janvier 1972 instituant l'aide judiciaire ; Loi du 22 janvier 1851 sur l'assistance judiciaire.

[10] *Les chiffres-clés de la Justice 2015, op. cit.*

[11] Rapport fait au nom de la commission des finances, de l'économie générale et du contrôle budgétaire sur le projet de loi de finances pour 2014 (n° 1395), annexe n° 32.

[12] J.-P. JEAN, « Perception et réalités du fonctionnement de la justice française, in La justice, quelles politiques ? », *Cahiers Français*, n° 377, La Documentation française, 2013, pp. 8-16

Mais le droit n'est pas fait que de textes, et son application concrète fait système. La nouvelle économie du système pénal a transformé le rôle des acteurs.

On discute beaucoup du statut du parquet dont les améliorations ont été progressives, notamment lors de la réforme constitutionnelle de 1993, mais la question est surtout celle de ses prérogatives effectives. S'il est une révolution silencieuse de la justice depuis vingt ans, c'est bien la gestion exclusive par le ministère public de plus de la moitié des affaires pénales avec auteur identifié. Le procureur est devenu un « *quasi-juge* » dans le cadre des procédures alternatives aux poursuites et du mode simplifié de l'ordonnance pénale qui connaît une croissance considérable[13].

L'autre réalité, c'est le parquet *avant le juge* avec des pouvoirs d'enquête sans cesse augmentés sous contrôle ponctuel d'un juge, selon le modèle qui se développe partout en Europe.

On mythifie le rôle du juge d'instruction, mais la réalité est qu'il traite désormais moins de 3% des crimes et délits faisant l'objet de poursuites, dans un environnement procédural hypertrophié.

Le juge judiciaire, juge européen

C'est sur le modèle du juge européen, sur lequel je vais conclure, que des évolutions radicales se sont produites, comme le souhaitait Roger Errera.

Seule question que, me semble-t-il, il n'avait pas traitée dans *Les libertés à l'abandon*, le droit des personnes hospitalisées sans consentement, la loi sur les aliénés du 30 juin 1838 n'ayant été repensée qu'en 1990[14]. C'est sous l'égide conjointe de la Cour européenne des droits de l'homme et du Conseil constitutionnel que le juge judiciaire a vu ses prérogatives renforcées pour protéger les droits des personnes faisant l'objet de soins psychiatriques sans consentement[15].

On doit évoquer ses pages sur la garde à vue, l'arrestation policière étant enfin réglementée par le Code de procédure pénale entré en vigueur le 2 mars 1959. La « malédiction de cette réforme authentiquement libérale » dit Roger Errera en 1968, est d'être née en plein conflit algérien. D'où

[13] J.-P. JEAN, *Le système pénal*, coll. « Repères », La Découverte, 2008.

[14] Loi n° 90-527 du 27 juin 1990 relative aux droits et à la protection des personnes hospitalisées en raison de troubles mentaux et à leurs conditions d'hospitalisation.

[15] Lois n° 2011-803 du 5 juillet 2011 relative aux droits et à la protection des personnes faisant l'objet de soins psychiatriques et aux modalités de leur prise en charge et n° 2013-869 du 27 septembre 2013 modifiant certaines dispositions issues de la loi n° 2011-803 du 5 juillet 2011 relative aux droits et à la protection des personnes faisant l'objet de soins psychiatriques et aux modalités de leur prise en charge.

immédiatement l'instauration de délais dérogatoires dans les affaires relevant de la Cour de sûreté de l'État, qui vont ensuite s'étendre dans toutes les procédures spéciales et d'abord dès la première loi sur les stupéfiants du 31 décembre 1970.

L'utilisation abusive de cette privation de liberté sera consacrée lorsque son taux de progression deviendra en 2003 l'un des cinq « indicateurs de performance » des services de police, cette politique du chiffre aboutissant à 800.000 placements en garde à vue pour l'année 2008. La suite est connue, et longuement analysée par Roger Errera dans *Et ce sera justice*, quand dit-il « les juges entrent en scène ». Juges européens tout d'abord, avec les condamnations de la France par la Cour EDH pour des traitements infligés lors de gardes à vue dans les arrêts *Tomasi*[16] ou *Selmouni c. France*[17]. L'arrêt *Salduz c. Turquie* du 27 novembre 2008[18] ouvre le ballet des épisodes qui s'enchaînent ensuite, depuis la chambre criminelle de la Cour de cassation[19], le Conseil constitutionnel[20], la Cour européenne des droits de l'homme[21] et le législateur[22].

Je ne retiendrai que la conclusion de l'Assemblée plénière de la Cour de cassation du 15 avril 2011 : « attendu que les États adhérents à la Convention de sauvegarde des droits de l'homme et des libertés fondamentales sont tenus de respecter les décisions de la Cour européenne des droits de l'homme, *sans attendre* d'être attaqués devant elle ni d'avoir modifié leur législation »[23]. Le juge judiciaire Français s'affirme on ne peut plus clairement d'abord comme un juge européen.

Mais il est une réforme essentielle où la France n'a pas attendu d'être condamnée pour faire avancer les droits et moderniser sa procédure pénale. C'est la loi Guigou du 15 juin 2000 sur la présomption d'innocence et les droits des victimes[24], qui a instauré le juge des libertés et de la détention, retirant au juge d'instruction le pouvoir de placer en détention provisoire alors qu'il est supposé instruire à charge et à décharge.

---

[16] CEDH, arrêt *Tomasi c. France*, 27 août 1992, n° 12850/87.

[17] CEDH, GC, arrêt *Selmouni c. France*, 28 juillet 1999, n° 25803/94.

[18] CEDH, GC, arrêt *Salduz c. Turquie*, 27 novembre 2008, n° 36391/02.

[19] Cass. Crim., 19 octobre 2010, n° 10-82.902.

[20] Cons. const., décision *M. Daniel W. et autres* [Garde à vue], 30 juillet 2010, n° 2010-14/22 QPC.

[21] CEDH, arrêt *Brusco c. France*, 14 octobre 2010, n° 1466/07.

[22] Loi n° 2011-392 du 14 avril 2011 relative à la garde à vue.

[23] Cass. Plén., 15 avril 2011, n° 10-17.049, 10-30.313, 10-30.316, 10-30.242.

[24] Loi n° 2000-516 du 15 juin 2000 renforçant la protection de la présomption d'innocence et les droits des victimes.

Permettez-moi d'évoquer un souvenir personnel. Lors de la réunion de *brain-storming* en petit comité sur la préparation de ce texte, présidée par le directeur de cabinet – Christian Vigouroux –, un autre conseiller d'État était présent, passionné et précis, voire méticuleux. Vous avez bien sûr reconnu Roger Errera.

Et puisque j'ai commencé par l'histoire contemporaine, celle de la guerre d'Algérie, je conclus sur l'histoire longue, celle du XIIIe siècle, pour terminer cette évocation du juge judiciaire dans la défense des droits et libertés, à la fois juge du quotidien et juge européen.

Il y a quelques jours, nous participions avec Denis Salas à la remise du prix Malesherbes d'histoire de la justice. La lauréate a été Marie Dejoux, pour son ouvrage *Les enquêtes de Saint-Louis : gouverner et sauver son âme*[25], fondé sur l'analyse de 10.000 doléances. Louis IX, avant son départ en croisade en 1247 et jusqu'en 1270, a en effet lancé une vaste enquête dans tout le royaume pour recueillir les plaintes de ses sujets sur son administration et les officiers royaux, à la fois pour affirmer son pouvoir et racheter son âme en réparant les injustices et en restituant certains biens mal acquis. L'auteur explique que ce type d'enquête était inspiré de celles conduites en Angleterre contre les *sheriffs* dès 1170… Cette méthode venue d'Outre-Manche serait donc une des sources de la procédure inquisitoire, instaurant le principe de la contradiction en matière civile.

Cette remise en perspective touchant à la justice quotidienne, remettant le besoin de justice et le justiciable au centre du propos huit siècles plus tard, peut faire écho à celle de la Grande Charte de 1215. Le juge français, comme tout juge national, est un juge européen. Et cela a été affirmé avec force par le Conseil consultatif de juges européens du Conseil de l'Europe, – 47 pays – qui a adopté à Strasbourg les 17-19 novembre 2010, un texte, intitulé… *Magna Carta des juges*, qui édicte les principes fondamentaux pour affirmer et garantir l'accès à la justice, l'État de droit, l'indépendance et la responsabilité des juges. Nous pouvons aujourd'hui dédier ce texte à la mémoire de Roger Errera.

---

[25] M. DEJOUX, *Les enquêtes de Saint Louis. Gouverner et sauver son âme*, PUF, 2014.

ROGER ERRERA, UN LIBÉRAL INQUIET

Denis SALAS*

> « Depuis 1968, en France, le maintien de l'ordre et la répression des actes illégaux – *toux deux nécessaires* – se sont effectués dans un contexte marqué par la dégradation des libertés »[1].

À lire deux livres de Roger Errera[2] à près de 40 ans de distance, on mesure le sens de la passion inquiète de leur auteur pour les libertés. Il écrit le premier essai en 1968 à un moment où notre pays est en pleine guerre froide, où la vie politique est dominée par un puissant parti communiste, où nous vivons deux guerres coloniales : Indochine (1946-1954) et Algérie (1954-1962). Sa thèse est courageuse à une époque où il est de bon ton de faire le procès du libéralisme politique « bourgeois » porteur de libertés « formelles ». C'est celle du lent grignotage des libertés rendu possible par l'indifférence d'une société qui délègue à l'État sa protection. Les deux phénomènes s'autoalimentent d'autant plus que ce grignotage se répand à bas bruit grâce au sommeil de l'opinion. Comment en serait-il autrement ? Notre histoire politique s'est bâtie à coup de régimes d'exception orientée plus par « le maintien de l'ordre » que par « la protection des libertés ».

Or, voilà peut-être que nous apercevons une issue. Quarante ans plus tard, Roger Errera place dans son dernier livre le droit au juge (surtout judiciaire) comme le symbole du renouveau de l'État de droit. En un demi-siècle, tout a changé, le métier de juge, ses pouvoirs, son impact dans la cité

---

* Président de l'Association française pour l'histoire de la justice.

[1] *Les libertés à l'abandon*, p. 287. Souligné par l'auteur.

[2] Je me réfère à *Les libertés à l'abandon*, Seuil, 1975 (1ère éd., 1968) et à *Et ce sera justice. Le juge dans la cité*, Gallimard, 2013.

et dans un horizon mondialisé. Le rôle du juge a explosé et doit être entièrement repensé.

On mesure à cette trajectoire longue, la force de son engagement au service de la justice par la pensée mais aussi dans l'action. Roger Errera a fait partie des deux commissions créées par Robert Badinter, la commission « réforme du statut de la magistrature » et la commission « presse justice ». Il a été membre du Conseil supérieur de la magistrature (1998-2002), membre du Conseil d'administration de l'ENM (1988-1996) et – j'en fus le bénéficiaire – a formé des générations de magistrats au droit des étrangers lors d'une session de formation sur ce thème pendant près de quinze ans.

Son analyse étonnamment lucide porte sur une histoire construite au moyen d'un État fort et centralisé. Le faible pouvoir du juge ne peut satisfaire sa pensée profondément libérale. Or, voilà que se produit l'émancipation progressive du juge ; voilà qu'il devient un acteur de la démocratie – ce que rien ne laissait prévoir dans notre histoire ; voilà ce qui oriente toute sa réflexion dont je voudrais souligner brièvement trois points.

La polyphonie du droit

Dans *Le juge dans la cité*, on est frappé par l'acuité du regard du juriste sur la polyphonie du droit contemporain. L'activité des cours suprêmes dans notre pays amplifiée au niveau européen diffracte le droit hors de la sphère de la loi. Les juges peuvent s'approprier des pans entiers de compétence par des recours souvent tardivement ratifiés (recours individuel devant la Cour européenne des droits de l'homme depuis 1981). Errera montre, en prenant des exemples précis et avec un art de la citation incomparable, comment la production du droit résulte des interventions de la loi mais aussi des juges, du Conseil constitutionnel, des instances européennes …

Il donne notamment l'exemple du contentieux de la cristallisation des pensions de retraite qui pénalisait les anciens combattants d'Indochine et d'Afrique. Il a fallu onze ans de procédure où sont intervenus la Cour européenne des droits de l'homme, le Conseil d'État, le Conseil constitutionnel et le législateur français pour mettre fin à cette discrimination.

Telle est la scène nouvelle de la démocratie : loin d'être une « guerre des juges », il présente un récit du droit écrit à plusieurs mains pour reprendre l'image de Dworkin. La co-écriture récente (jurisprudentielle et législative) du nouveau droit de la garde à vue en a été un parfait exemple. Le juge prend toute sa place dans la narration collective du droit. Et le fait qu'il occupe cette place donne une énergie particulière à sa diffusion dans ces cercles du plus en plus larges. Ce qui le conduit ainsi à entrer dans des zones de non droit comme le monde carcéral rattaché pourtant au ministère de la justice depuis 1911 ! *Les libertés à l'abandon*, préconisait déjà de créer une juridiction de l'application des peines... ce qui sera fait dans les années 2000.

« L'ambigüité profonde du juge de l'application des peines subsiste. Ce magistrat prend des décisions qui ne sont pas juridictionnelles, qui ne sont soumises à aucun contrôle hiérarchique, contre lesquelles aucun recours n'existe et qui ont des effets immédiats sur les détenus... On s'est parfois demandé s'il ne conviendrait pas de créer une *juridiction* de l'application des peines »[3]. Intuition véritablement visionnaire qui anticipe toute l'évolution juridictionnelle de nos institutions qui, dans la sphère post sententielle, se produira dans les années 2000.

La responsabilité du juge

Roger Errera a aussi le souci de rétablir le rôle du juge acteur ignoré dans notre histoire et très attaqué aujourd'hui. Il écrit dans la conclusion de son dernier livre écrit en 2012 :

« Nous sortons d'une période où les responsables du pouvoir exécutif ont témoigné envers les magistrats d'une attitude d'hostilité déclarée et de mépris ouvert sans précédent dont l'exemple venait de haut »[4].

Voilà pourquoi il soutient son émancipation. Quasiment toutes les réformes qu'il propose à la fin de son dernier livre visent à renforcer la légitimité du juge : réforme du Conseil supérieur de la magistrature avec alignement des nominations du parquet et du siège, suppression de la dyarchie, fin des instructions individuelles au parquet...

Mais ce pouvoir doit être équilibré. Son approche très détaillée de la magistrature en juriste, en historien, en sociologue, suit une ligne continue : penser ensemble pouvoir et responsabilité. Il est très critique sur la commission de plaintes du Conseil supérieur de la magistrature. Il déplore qu'on n'instaure pas de comité d'éthique pour les magistrats (comme au Conseil d'État), se désole de ne pas voir fonctionner l'action récursoire (l'État qui se retourne contre son agent), cite minutieusement les rapports d'inspection générale des services judiciaires en regrettant leur peu d'impact...

Les liens d'allégeance sont un écueil plus souterrain. Il n'est pas dupe du poids de la culture hiérarchique au sein de la magistrature qui n'est pas le moindre obstacle à son rôle nouveau. Avec l'ironie mordante qu'il affectionnait, il évoque un certain ministère public où règne la soumission

[3] *Les libertés à l'abandon*, p. 153. Souligné par l'auteur.
[4] *Et ce sera justice*, p. 345.

cynique au pouvoir politique. Et aussi « cette terrible disponibilité, cette obéissance qui devance l'ordre »[5].

Il oppose à cette culture de déférence l'idée d'*accountability* : le pouvoir du juge, au fur et à mesure qu'il grandit, doit rendre des comptes aux instances démocratiques d'autant plus qu'il n'est pas élu. Une grande part de sa légitimité est là. Son programme de réforme vise à rétablir le CSM dans toutes ses prérogatives : dissocier le traitement des plaintes du disciplinaire, nommer les chefs de l'inspection et le directeur de l'ENM avec son avis conforme y compris pour les programmes de formation.

Rousseau contre Montesquieu

En lisant « *Les libertés à l'abandon* » dans la perspective du dernier livre, comme deux moments de sa pensée on comprend le parcours de Roger Errera. Il y voyait dans la nouvelle figure du juge la chance de l'État de droit dans un pays dont l'histoire va en sens contraire disait-il dans *Les libertés à l'abandon* dès lors qu'« *une partie de notre légalité est tournée contre la liberté* »[6].

En comparatiste, il évoque à la fin de ce livre la situation structurelle de la France face aux libertés telle qu'elle se présente à l'époque : c'est dit-il le seul pays occidental qui possède en même temps une institution préfectorale dotées d'importants pouvoirs administratifs accrus en période d'état d'urgence ; une police entièrement étatisée et centralisée ; un corps judiciaire fonctionnarisé (par opposition aux pays de *common law*).

« Ni en Allemagne, ni en Angleterre, ni aux États-Unis, le gouvernement n'est doté de moyens d'action aussi puissants et aussi centralisés dont l'emploi simultané facilite la restriction du jeu normal des libertés »[7].

Il mesure toute la différence avec le modèle américain. Dans l'entretien que lui accorde Hannah Arendt en 1973, celle-ci souligne que les États-Unis ont voulu *à l'origine* un pouvoir exécutif faible car porteur d'une tyrannie potentielle. Les pères fondateurs redoutaient l'Europe des monarchies. Ils ont conçu leur constitution fédérale avant tout pour équilibrer le pouvoir et la Cour suprême qui en a la garde reste un symbole sacré dans tout le pays. En France, au contraire, les Constitutions passent. La France est sans doute le pays qui en a connu le plus grand nombre : quinze en cent quatre-vingts ans, soit en moyenne une toutes les douze années. Comment pourrait émerger une cour constitutionnelle digne de ce nom ? C'est la loi qui

[5] *Et ce sera justice*, p. 265

[6] *Les libertés à l'abandon*, p. 297. Souligné par l'auteur.

[7] *Les libertés à l'abandon*, p. 291.

incarne la permanence de la volonté générale. Chez nous Rousseau a triomphé sur Montesquieu.

L'État est structuré autour de l'hégémonie du pouvoir exécutif. Le pouvoir judiciaire est l'impensé de la Ve République. L'idée d'un président de la République « garant » de l'indépendance de la justice laisse Errera dubitatif. Qu'il soit « garant » dans l'exercice des pouvoirs de sa compétence (« indépendance nationale, intégrité du territoire, respect des traités », art. 5), est tout à fait logique ; mais qu'il place sous sa tutelle une autre branche de l'État, la branche la moins dangereuse, celle qui précisément devrait être déclarée indépendante c'est-à-dire disponible pour les citoyens, est un héritage négatif. Toute l'œuvre de Roger Errera tourne autour de ce symbole absent. Tout se passe comme si, suggère-t-il, nous étions immuablement restés dans l'orbite d'un État administratif. Chez nous, c'est à partir du haut, de l'État et de sa loi, que se construit l'État de droit. Nos libertés passent par le maintien de l'ordre. Nous dirions aujourd'hui sans craindre la contradiction : la sécurité est la première des libertés.

La récurrente défaite des libertés résulte de cet héritage. Quels sont, en effet, les contrepouvoirs habituels dans une démocratie libérale ? Il y en a trois : « l'indépendance du juge ; une information pleinement libre ; un parlement exerçant sa pleine fonction de contrôle. *Or, ces trois contrepoids font défaut en France* »[8].

Aujourd'hui, seule la liberté de la presse est réellement acquise. Dans un régime où le fait majoritaire s'est imposé, le contrôle du parlement n'est pas suffisant. Il doit s'accompagner d'une indépendance clairement établie du juge. Celle-ci pourra ainsi *garantir* la demande de droits et libertés issue de la société démocratique. L'œuvre de Roger Errera nous rappelle la fragilité de notre adhésion aux valeurs du libéralisme politique. Elle nous prémunit d'un excès de confiance envers l'autorité de l'État. Elle porte un message pour les générations à venir : dans notre pays, la démocratie libérale est encore à construire.

---

[8] *Les libertés à l'abandon*, p. 291. Souligné par l'auteur.

ROGER ERRERA : UN JUGE DANS LA CITÉ, UNE PASSION POUR LES LIBERTÉS

ROGER ERRERA ET LE DÉVELOPPEMENT DU DROIT PUBLIC AU ROYAUME-UNI

Sir Jeffrey JOWELL KCMG QC*

C'est un honneur pour moi de prendre la parole dans cette grande institution, le Conseil d'État, pour y célébrer la mémoire d'un de ses membres distingués, Roger Errera. Grâce à lui, bien des représentants des professions juridiques et judiciaires, au Royaume-Uni, ont appris à connaître le Conseil d'État, à le respecter en tant qu'institution, et ils se sont familiarisés avec les principes du droit public établis au cours des ans par ce dernier.

J'ai eu le grand plaisir de faire la connaissance de Roger lors d'une conférence à Grenoble dans les années 1970. J'ai été immédiatement frappé par son extraordinaire vivacité d'esprit, son sens de l'humour, sa profonde humanité et l'étendue de sa compréhension du droit dans son contexte social, politique et historique.

Quelques années plus tard, Roger – sur mon invitation – accepta de passer une année universitaire entière à *University College London (UCL),* avec son épouse et leurs deux jeunes enfants. Ils charmèrent Londres, et Roger s'engagea pleinement pour nous instruire des conceptions françaises du droit public et du droit international.

L'affection et le respect qu'il inspira alors (*UCL* lui décerna plus tard un titre d'« Honorary Fellowship », membre honoraire) furent tels qu'il fut invité, trois années plus tard, à passer une autre année sabbatique à Londres, cette fois en qualité de *Senior Research Fellow of the Institute for Advanced Legal Studies.*

Comme vous le savez, le Royaume-Uni est presque le seul pays démocratique qui ne possède pas de constitution écrite. Cela ne veut pas

* Barrister, directeur du *Bingham Centre for the Rule of Law*, professeur émérite de droit public à University College London.

dire, toutefois, qu'il n'existe pas de principes ou de pratiques établis qui encadrent les pouvoirs de l'État ou qui en limitent l'étendue.

Le général de Gaulle, que l'on ne saurait suspecter d'anglophilie excessive, l'a reconnu lorsqu'il s'est adressé au Parlement britannique en 1960. « Certes, dit-il alors, le Royaume-Uni n'a pas de texte constitutionnel ». Il ajouta : « Eh bien ! je vous le déclare, cette Angleterre qui se tient en ordre tout en pratiquant le respect des libertés pour tous, inspire confiance à la France ».

À l'époque où ce commentaire – peut-être trop bienveillant – était formulé, les libertés publiques n'étaient pas spécialement menacées en Grande-Bretagne : 1960 avait été une année de paix relative et nous n'avions pas encore rencontré la tentation, qui allait suivre, de réduire les libertés face à l'immigration de masse et à la menace du terrorisme.

Le général de Gaulle n'éprouva donc pas le besoin de commenter le fait que, contrairement à la France, nous n'avions pas à l'époque un système développé de droit administratif.

Au début du XXe siècle, le professeur Barthélemy, qui était alors le doyen de la faculté de droit de Paris, passa un week-end en Angleterre avec le professeur Dicey, dont l'influence était considérable. Il raconte qu'il lui posa une question sur le droit administratif en Grande-Bretagne. Dicey répondit : « En Angleterre, nous ne savons rien du droit administratif et nous ne voulons rien en savoir ».

L'hostilité de Dicey à l'égard du droit administratif reposait sur l'idée que la souveraineté du Parlement était la règle constitutionnelle primordiale du Royaume-Uni. Lorsque le Parlement avait conféré des pouvoirs à l'administration en vue d'agir dans l'intérêt général, il ne convenait pas que des intérêts privés puissent faire obstacle à ses décisions en utilisant le contrôle juridictionnel. Cette conception a été renforcée, pendant la première moitié du XXe siècle : nos juridictions répugnaient alors à s'immiscer dans l'exercice des pouvoirs considérables dont disposait le gouvernement afin de faire face aux deux guerres mondiales. Après 1945, les mêmes juridictions étaient non moins soucieuses de ne pas contrôler les pouvoirs de plus en plus discrétionnaires confiés à l'administration pour atteindre les objectifs du nouvel « État providence » [Welfare state].

À partir du milieu des années 1960, un changement considérable se produisit. Le plus significatif a été le développement rapide de ce droit administratif dont Barthélemy avait parlé à Dicey. Il a été le résultat de la jurisprudence (notre « Common Law ») et aussi de l'action du Parlement. Aujourd'hui, nous exigeons de tous les titulaires de fonctions publiques que leurs décisions respectent les règles les plus exigeantes d'une procédure équitable, qu'elles n'aient pas des conséquences déraisonnables – c'est-à-dire, n'aient pas des conséquences excessives pour les individus –, et qu'elles soient proportionnées aux pouvoirs conférés à leurs auteurs.

Plus récemment, le concept de la souveraineté du Parlement a été mis en question par un second principe constitutionnel, *the Rule of Law* (l'État de droit). Ainsi, par exemple, lorsqu'un acte du Parlement n'est pas clair ou univoque, nos juridictions considèrent qu'il y a une présomption pour que le *Rule of Law* l'emporte. De cette façon, si le Parlement ne s'exprime pas avec une extrême clarté, des actes ayant un effet rétroactif ou tentant de manière déraisonnable d'empêcher l'accès à la justice, ont été jugés contrevenir à *the Rule of Law*.

Quelles ont été les causes de ces changements au Royaume-Uni ? Pourquoi nos deux systèmes ont-ils convergé aussi considérablement depuis un quart de siècle ?

L'un des facteurs en a été le développement des contacts personnels et des échanges de toute nature. Barthélémy et Dicey se sont rencontrés une fois ou deux. Il n'existait pas alors de programmes d'échanges réguliers entre nos universités ou nos juges. Les temps ont bien changé.

J'ai mentionné la venue de Roger Errera à Londres au cours des années 1980. Grâce à lui, nous avons compris que le système français de droit administratif n'était pas une idée étrangère à nos traditions, mais un exemple auquel nous pouvions faire des emprunts très utiles. Lorsque des juristes anglais venaient à Paris – j'ai été l'un d'eux –, Roger les encourageait à visiter le Conseil d'État, ce qui nous a permis de comprendre les forces du système français et d'en faire état dans nos écrits.

Durant ses séjours en Angleterre, il a aussi contribué à établir un programme d'échanges réguliers entre les juges, auquel il a lui-même participé. Il a également tenu dans notre principale revue, *Public Law*, une chronique régulière consacrée à la jurisprudence du Conseil d'État. Des échanges de cette nature ont contribué à l'enrichissement mutuel et à l'approfondissement de valeurs communes.

Un autre élément de cette convergence a été l'œuvre considérable des deux cours européennes : la Cour de justice des Communautés européennes et la Cour européenne des droits de l'homme. Leur œuvre est considérable. Elles ont mis au point des règles démocratiques applicables à l'ensemble d'une Europe autrefois divisée. Au carrefour de plusieurs systèmes juridiques et de cultures et de traditions politiques différentes, elles ont édifié et continuent à édifier sous nos yeux une construction qui renforce, dans notre continent, la justice, la démocratie et la liberté.

Cette mission est celle du droit public.

Je vous remercie.

HOMMAGE À ROGER ERRERA (AU CONSEIL D'ÉTAT DE 1959 À 2001)

Christian VIGOUROUX*

N'oublions pas Roger Errera et lisons-le autant que nécessaire, comme notamment le tout début de ses *Libertés à l'abandon*[1] – il prenait crânement à 35 ans la suite de Daniel Halévy (*Décadence de la liberté*, 1931) sur « l'internement administratif » – où il note « Étrange pudeur, de fait, et bien proche de la recherche d'un alibi, que celle qui conduisit les auteurs de la loi du 3 avril 1955 sur l'état d'urgence à préciser (art. 6) que l'assignation à résidence ne pourrait avoir pour effet la création de *camps* où seraient détenues les personnes visées » (p. 21). Et 45 ans plus tard, dans *Et ce sera justice...*[2], cette fin de paragraphe sur le droit des étrangers (p. 129) : « C'est pour les étrangers que s'ouvrent en 1938 les premiers camps d'internement »...

Il avait toujours au fond de lui la mémoire de la menace hideuse qui porte nom injustice, discrimination et excès de pouvoir.

Nous déjeunions régulièrement dans son repaire de la rue Albert de Lapparent pour reconstruire le monde. De son côté, il y avait toujours une chronique passionnante sur l'actualité et ses hommes, et une série de plans, de projets, de critiques et de propositions-inventions. Et, pour moi, un conseil à prendre (ses deux dernières recommandations de lecture en 2014 étaient *Le droit saisi au vif, Entretiens avec Francis Chateaureynaud* par Marie-Angèle Hermitte et *Les décisions absurdes, sociologie des erreurs radicales et persistantes* de Christian Morel), ou un avis à recueillir comme son

---

* Président de la section de l'intérieur du Conseil d'État.

[1] R. ERRERA, *Les libertés à l'abandon*, coll. « Politique », Paris, Ed. du Seuil, 1968, 1969, 1975.

[2] R. ERRERA, *Et ce sera justice...*, *Le juge dans la cité*, coll. « Le débat », Paris, Gallimard, 2013.

indignation sur le comportement de la Grèce sur les réfugiés, avant même que la jurisprudence européenne et française reconnaisse l'insuffisance de l'accueil des réfugiés par la Grèce à la fin des années 2000 (*Et ce sera justice...*, p. 139).

C'était un juge, un engagé, un enseignant, un écrivain, un homme de vérité, un fidèle et un international.

Un juge. Et chose à saluer parce que non automatique encore, un juge qui aime la justice, les institutions de justice et les juges, qui aime le droit et le rapport de la liberté et du juge. Une promotion de l'École nationale de la magistrature pourrait justement porter son nom. Ce n'est pas un appel, c'est un rêve.

Un juge volontaire, méthodique avec de nombreuses pages de notes toujours manuscrites, à peine corrigées. Un défenseur des libertés publiques : ses deux dernières affaires en assemblée du contentieux (il en aura rapporté 16), toutes deux dans le contentieux de l'extradition (à mes conclusions) montraient son calme, ses intuitions et son exigence (CE, Assemblée, *Aylor,* 15 octobre 1993, n° 144590 et CE, Assemblée, 15 octobre 1993, *Royaume-Uni de Grande-Bretagne et d'Irlande du Nord,* n° 142578).

Dans la première affaire, il fallait apprécier les promesses des États-Unis d'Amérique pour se faire livrer une criminelle américaine qui avait fui en France et risquait la peine de mort aux États-Unis.

Dans la seconde affaire, il fallait répondre à un requérant qui n'était pas absolument banal : le Royaume-Uni était venu dans le prétoire du Conseil d'État pour contester un refus d'extradition à lui opposé par les autorités françaises.

Il proposait de dire non aux États-Unis et oui au Royaume-Uni. Ce fut oui aux deux.

Et dès sa première assemblée du contentieux sous la présidence d'Alexandre Parodi (CE, Assemblée, 8 janvier 1971, *Ministre de l'intérieur/Dame Desamis,* n° 77800), il contribue à fixer le rapport entre le juge pénal et le juge administratif :

« Considérant que si, en principe, l'autorité de la chose jugée au pénal ne s'impose aux autorités et juridictions administratives qu'en ce qui concerne les constatations de fait que les juges répressifs ont retenues et qui sont le support nécessaire de leurs décisions, il en est autrement lorsque la légalité d'une décision administrative est subordonnée à la condition que les faits qui servent de fondement à cette décision constituent une infraction pénale ; que, dans cette dernière hypothèse, l'autorité de la chose jugée s'étend exceptionnellement à la qualification juridique donnée aux faits par le juge pénal ».

D'autres solutions majeures lui doivent beaucoup. Ainsi, deux annulations pour erreur de droit d'un abaissement de note de magistrat parce qu'il avait exercé l'action syndicale (CE, Assemblée, 31 janvier 1975, *Volff*, n° 84791 et *Exertier*, n° 88338, sous la présidence de Bernard Chenot, commissaire du gouvernement Renaud Denoix de Saint Marc et rapporteur Roger Errera).

Et le contrôle entier sur le respect des stipulations de l'article 8 de la Convention européenne des droits de l'homme sur :

- l'expulsion (CE, Assemblée, 9 avril 1991, *Belgacem*, n° 107470, commissaire du gouvernement Rony Abraham, rapporteur Roger Errera),
- la reconduite à la frontière (CE, Assemblée, 19 avril 1991, *Mme Babas*, n° 117680, concl. Rony Abraham, rapporteur Roger Errera).

Il ne négligeait pas les sections administratives, comme son rapport sur la future loi de 1991 sur les écoutes téléphoniques pour la section de l'intérieur en dialogue avec le directeur du cabinet du ministre de l'Intérieur que j'étais alors.

Roger aimait le métier de juge, et se trouvait bien au Conseil d'État qui lui rend bien aujourd'hui son attachement.

Ce juge était un juriste de conviction.

Un « engagé » : sur de multiples plans. Je l'ai connu au Conseil supérieur de la magistrature, de 1998 à 2002, élu président de la formation commune, nous pouvions parler avec lui, chacun dans son rôle. Il ne fait pas partie de ceux qui ont besoin de s'opposer par principe pour exister. Il s'oppose quand il estime utile de le faire, mais il existe naturellement. Roger Errera rappelle, lui-même, dans son *Et ce sera justice...*, quelques souvenirs de membre du Conseil supérieur de la magistrature : en 1999 le Conseil supérieur de la magistrature, dans lequel il exerçait une influence aussi significative qu'utile à l'intérêt général, savait pour nommer un Premier président de la Cour de cassation qui marquerait l'histoire judiciaire, sortir de la liste des candidats et rechercher le meilleur (*Et ce sera justice...*, p. 209) ou encore en 2000 le Conseil supérieur de la magistrature décidait « d'indiquer succinctement, dans son rapport annuel, les motifs des avis non-conformes et défavorables » (*Et ce sera justice...*, p. 211). Surtout, avec notre autre collègue Jacques Fournier, il naviguait dans les eaux compliquées de la cohabitation à une époque où, pour toutes les nominations de magistrats, le président de la République, président effectif du Conseil supérieur de la magistrature et la garde des Sceaux effectivement présente ne trouvaient pas spontanément des positions communes... Au Conseil supérieur de la magistrature, les hommes d'État comme Roger Errera savaient inventer des solutions diplomatiques de haut vol...

Il réussissait à communiquer sur son expérience et était consulté à ce propos : comme le 22 mai 2013 par la Commission nationale consultative des droits de l'homme sur les projets de réforme du Conseil supérieur de la magistrature, toujours, et, plus globalement, de la justice. À cette occasion, et alors que sa maladie avait déjà frappé, il avait été net, comme toujours, sur ce qu'il approuvait et sur ce qu'il critiquait comme le procureur financier.

En prononçant ce rappel, un regret : où sont les mémoires de Roger Errera ?

Peut-être dans ses cours.

Un enseignant : de Paris à Budapest, de Londres à Princeton, il transmet.

À l'École nationale de la magistrature il intervenait avec sa fougue, sa curiosité, sa persuasion tant dans les séminaires sur les étrangers que pour le centre de perfectionnement des magistrats d'avenir. Il m'avait souvent invité et nous poursuivions devant les magistrats-stagiaires notre compagnonnage.

Il dialogue avec les professeurs, comme dans les *Mélanges en l'honneur de Serge Guinchard* avec son regard sur les prisons : « Un nouveau domaine de responsabilité de l'État du fait du service de la justice : la prison en justice » (*Et ce sera justice...*, p. 80).

De l'enseignant à l'écrivain une continuité.

Un écrivain : inspiré et déterminant, de 1968 à 2013, des *Libertés à l'abandon,* livre feu, livre cri, livre qui a influencé toute une génération, jusqu'à *Et ce sera Justice...*, livre flamme, flamme permanente comme un livre qui lui tenait à cœur, comme un testament.

Feu et flamme, Roger Errera était tout feu tout flamme quand il s'agissait de libertés, de respect mutuel, de résistance à l'antisémitisme et à la discrimination.

Vif passionné, il s'animait, il était littéralement inspiré. Je ne me suis jamais ennuyé dans mes dialogues avec Roger Errera. Je repartais avec plusieurs revues à lire et plusieurs références de livres que j'aurais déjà dû lire.

Un homme de vérité : même quand elle est dérangeante. Ainsi, quand il étudie la période de Vichy, il publie le compte rendu détaillé de la réunion interministérielle du 16 décembre 1940 préparant l'exclusion des juifs de la fonction publique et donne le nom et revient sur le parcours de tous les dignitaires de la République devenus ministres de Pétain qui signent ensemble la loi du 5 octobre 1940 permettant d'interner les étrangers « de race juive » (*Et ce sera justice...*, p. 157) et il conclut sèchement : « de quoi donner à penser sur le comportement de nos élites politiques en temps de crise » .

Un fidèle : toujours disponible pour tester une idée, lire un projet d'article ou même un manuscrit (*Georges Picquart*[3]) et livrer ses conseils avisés. Et faire lire son projet d'ouvrage : plusieurs d'entre nous, dans cette maison, se sont livrés à cet exercice comme Frédéric Tiberghien ou Jean-Louis Gallet. Roger Errera n'hésitait pas à citer ses références : Guy Canivet dans son rapport sur le contrôle extérieur des prisons que nous avions commandé en 2000 (*Et ce sera justice...*, p. 90), comme sur le surendettement (*Et ce sera justice...*, p. 172), sur la gouvernance de la justice (p. 230, 237), sur l'éthique (p. 313) ; ou le professeur Loïc Cadiet (*Et ce sera justice...*, sur les limites de l'intervention et des pouvoirs des juges, p. 174 ; sur la gouvernance, p. 220, 243, 344).

Nous avons depuis quelques années un collège de déontologie pour la juridiction administrative. Organisme très utile qui, sous la haute autorité du président Labetoulle, en peu de temps, a fait la preuve de son efficacité. Mais je vais vous faire un aveu. Depuis longtemps, je disposais d'un collège personnel de déontologie auquel j'ai soumis bien des doutes, des questions et des cas (parfois de conscience). Ce collège unipersonnel s'appelait Roger Errera.

Il était aussi un collège international à lui tout seul.

Un « international » : combien de fois m'a-t-il adressé un article paru à l'étranger ?

Dans son livre *Et ce sera justice...* (p. 15), le premier ouvrage cité est celui « sur l'histoire et le contenu de cette notion, notamment en droit comparé », de « Luc Heuschling, *État de droit, Rechtsstaat, Rule of law*, Dalloz, 2002 » ; et je l'entends encore me vanter les mérites de l'*accountability* comme outil de responsabilité des juges (*Et ce sera justice...*, p. 275) et le regret que cette notion ne soit pas assez pratiquée en France.

Ce n'est pas un hasard. « International », Roger Errera l'est par toute sa culture, pont entre les traditions juridiques.

---

[3] C. VIGOUROUX, *Georges Picquart, dreyfusard, proscrit, ministre. La Justice par l'exactitude*, Dalloz, 2008.

Ses livres s'en ressentent : dans *Et ce sera justice*... (p. 32), hommage à Lord Lester, artisan de l'incorporation de la Convention européenne des droits de l'homme dans l'ordre juridique britannique.

Quand il livre sa réflexion sur son expérience de nomination des juges au Conseil supérieur de la magistrature, il n'écrit pas dans une revue de Dalloz ou de Lexis Nexis, ce serait un peu banal pour lui, mais dans la *Revue suisse des juges*, 2009 (*Et ce sera justice*..., p. 214).

Dans nombre de cours suprêmes d'autres pays, à la Cour suprême d'Israël ou aux États-Unis une question nous revient : Comment va Roger Errera ?

Ces reconnaissances marquent une constante chez Roger Errera : il ne vivait pas seulement profondément dans le territoire français, dans la République française mais il avait à tout moment la référence à l'international comme un accès indispensable à l'universel.

Parmi ces questions éternelles pour lesquelles il engageait toute sa culture et toute son énergie, celle des réfugiés, des étrangers. Il veillait, enseignait, écrivait, notamment dans la *Revue de l'association des juges de l'asile* (*Et ce sera justice*..., p. 143).

Tout le monde ne se réfère pas à *Public Law* comme le fait Roger Errera (*Et ce sera justice*..., p. 37) et mieux encore, tout le monde ne tient pas une chronique à *Public Law* sur la jurisprudence du Conseil d'État.

Aux *Cahiers de la justice*, en 2013, cette « tribune », « Les juges et la prison : les raisons et les conséquences de leur intervention », tout Roger Errera est là : une tribune, ce n'est pas une chronique, ni un pensum, ni une leçon, c'est un argumentaire construit, une expérience réfléchie, une pensée et une invitation aux réformes.

Les Libertés de ceux qui en sont privés.

Et la volonté d'investiguer, de ne pas s'arrêter à la surface des choses, et, comme on dirait au Conseil d'État, d'examiner « l'objet et l'effet » de l'intervention du juge.

Peut-être Roger Errera se révèle-t-il dans sa propre phrase sur le « respect » dans la revue *Autrement* en 1993 (p. 161) : « la plupart des *tyrannies* modernes ne se bornaient pas à régler par terreur, la peur et le *mensonge*, beaucoup se sont aussi efforcés d'abolir systématiquement la *mémoire collective*, de réécrire le passé, en supprimant ou en falsifiant des pans entiers de l'histoire du pays et de la *conscience nationale*… en définitive la mémoire est la forme ultime de la justice et du respect des personnes ». Quatre mots soulignés qui résument les combats de Roger Errera…

Tel était Roger Errera, souriant, pressé, malicieux, ambitieux pour ses idées, distant des questions de pouvoir, présent aux questions d'idées, attentif aux jeunes et à l'avenir, militant engagé contre les tyrannies, analyste pointu de leurs méthodes, sentinelle de la mémoire, et officiant déterminé d'une certaine exigence républicaine. Donc participant d'une certaine conscience nationale. Ce fut un maître pour nombre de jeunes juristes.

À ce maître qui citait *Bajazet* de Racine dans ses livres de droit, je dédie un autre vers de Racine dans *Alexandre le Grand*, comme un message que nous adresserait Roger Errera par-dessus le temps.

Axiane à Taxile :

« Va seconder l'ardeur du feu qui les dévore
Venge nos libertés qui respirent encore ».

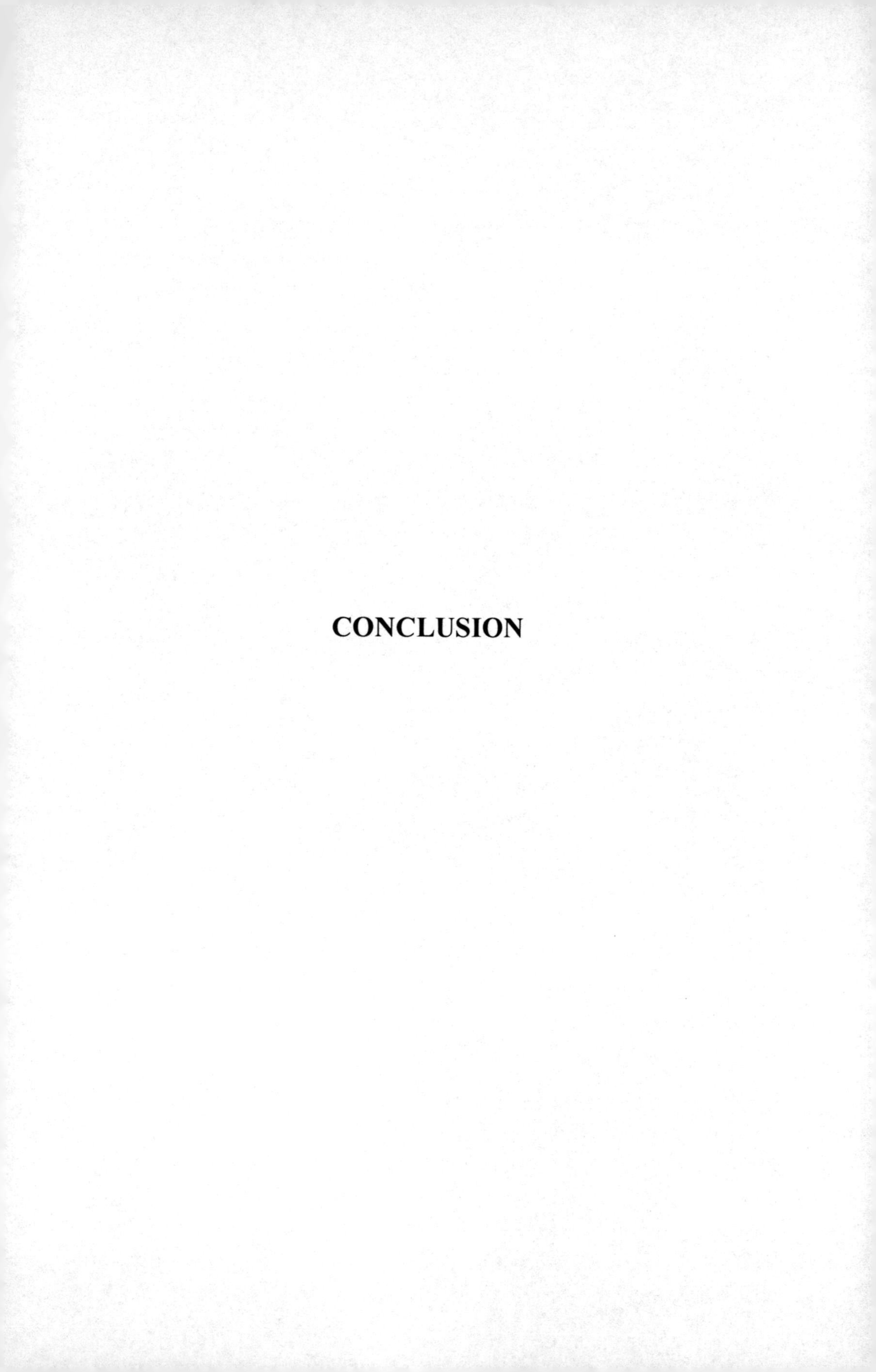

CONCLUSION

CONCLUSION

Robert BADINTER*

Chère Madame Errera,
Chers Antoine et Vincent,
Monsieur le vice-président,
Mesdames et Messieurs,

Je note avec plaisir qu'au terme d'une déjà longue journée, la salle est pleine. C'est un hommage rendu à tous les intervenants précédents.

C'est évidemment à Roger Errera, à sa mémoire, à l'œuvre qu'il nous a laissée et à l'exemple qu'il constitue pour les jeunes générations de juristes que mon propos sera dédié. Le président Vigouroux vient d'évoquer l'essentiel de sa carrière exceptionnelle. Je reviendrai sur ce que symbolise Roger Errera au terme de mon propos. Mais à ce stade, je ne résiste pas à la tentation, à mon tour, de m'exprimer sur le destin des libertés au Royaume-Uni et en France. Un thème d'un classicisme que certains trouveront usé, mais qui toujours suscite des deux côtés de la Manche une sorte de frémissement.

Alors je commencerai par un souvenir. C'était le 14 juillet 1989. Nous commémorions solennellement le bicentenaire de la Déclaration des droits de l'homme. Un certain nombre de chefs d'État et notamment de chefs de gouvernements européens étaient réunis à Paris. J'avais un privilège personnel singulier. Selon le rite protocolaire – les Français sont presque aussi attachés que les Anglais au protocole, c'est par là que l'on voit la

* Ancien président du Conseil constitutionnel, ancien garde des Sceaux, ministre de la Justice.

nostalgie d'une certaine forme de tradition royale au sein de la République... –, un ministre doit accompagner tout chef d'État ou de gouvernement étranger quand il vient en visite officielle en France. Et je ne sais si c'était par sens de l'humour, mais le président Mitterrand avait une fois pour toutes décidé que je serai l'*escort boy* de Mme Thatcher, ce qui m'a valu avec elle de très longues relations essentiellement consacrées de sa part à comparer les mérites, très peu connus de mon côté, du Pouilly Fuissé par rapport aux vins d'Alsace. Quoi qu'il en soit ce jour-là, à l'Élysée, en cette réunion très formelle, Mme Thatcher a pris la mouche. Et m'apostrophant, elle m'a dit : « Enfin, Monsieur Badinter, comment ?! J'ai toujours célébré la Déclaration des droits de l'homme. Mais c'est nous, les Britanniques, qui avons quand même été les fondateurs de la liberté en Europe. La Magna Carta de 1215, c'est combien de siècles avant la Déclaration des droits de l'homme et du citoyen ? ». La remarque était imparable. Vous ne pouvez à ce moment-là que sourire, chanter à juste titre les louanges de la grande démocratie anglaise, son culte des libertés qui s'est affirmé tout au long des siècles et notamment dans les pires épreuves...

Personne ne peut discuter le fait que la Magna Carta, la Grande Charte, a posé certains des fondements essentiels des libertés dans tous les États de droit depuis 1215. Ce n'est pas plus discutable s'agissant de la séparation des pouvoirs, du droit exclusif des représentants des peuples de voter et de consentir les impôts – ce qui, à mon avis, n'est pas sans poser des questions européennes pour l'avenir, mais laissons cela de côté –, et s'agissant d'introduire ou de préparer la voie à l'*Habeas corpus* de 1679. Sur tous ces points, notamment les libertés individuelles, la séparation des pouvoirs et l'impôt consenti par les gouvernés, on ne peut que s'incliner devant la grandeur britannique.

Ayant auparavant consulté ma Magna Carta de poche, j'avais quand même vérifié qu'il existe un article singulier, que je recommande aux amateurs d'archéologie juridique, qui interdit les poursuites sur la plainte d'une femme, sauf dans le cas où on a tué son mari[1]. En-dehors de ce cas, la plainte d'une femme en justice pour meurtre n'est pas recevable. L'action publique déclenchée par la plainte de la victime ne pouvait pas l'être par une femme. J'ai jugé que le moment n'était pas venu de rappeler cet article à Mme Thatcher. Mais je le conservai en mémoire...

---

[1] Art. 54 de la Magna Carta : « Personne ne sera arrêté ou emprisonné sur la dénonciation d'une femme, pour la mort d'un autre homme que son propre mari ».

Il demeure indiscutablement que le flambeau des libertés, bien avant d'être dressé à New York à l'entrée du port d'une des anciennes colonies britanniques, a brillé d'un éclat sans pareil en Europe sur les bords de la Tamise. Et de cela, toutes les femmes et tous les hommes de liberté doivent savoir gré à la Grande-Bretagne. Cependant, les amateurs de belle langue juridique, qui sont ici nombreux, ne trouvent pas dans la Magna Carta les mêmes délices qu'à la lecture de la Déclaration de 1789. Ce texte paraît davantage le résultat d'un arbitrage après une longue négociation entre les avocats de différentes parties qu'un texte fulgurant émanant de la *ratio scripta*, comme nous les affectionnons. Cependant, au moins dans le domaine de la rhétorique, je le dis franchement mais avec fierté, rien dans la Magna Carta, pas même l'article 39[2] qui nous est si précieux, n'égale la splendeur du Préambule de la Déclaration des droits de l'homme[3], le texte de Mirabeau qui transporte encore aujourd'hui tous ses lecteurs quel que soit leur âge.

Je marque cela pour dire ce qui revient à chacun. À nos amis britanniques en effet l'indiscutable primauté et fidélité à ce que sont les principes du *Rule of Law*. Et aux Français le titre, non pas de patrie des droits de l'homme – car nous ne pouvons pas dire, au regard de notre histoire, que notre pays a toujours été la patrie des droits de l'homme ; hélas, tant s'en faut – mais de la patrie de la *Déclaration* des droits de l'homme. Et ceci est déjà un titre suffisant de gloire pour que l'on s'applique à ne point démentir dans nos lois ou nos actions, cet admirable texte dont nous sommes les dépositaires. Je ne l'ai pas dit ce jour-là à Mme Thatcher mais je me souviens d'avoir évoqué la suprématie de la rhétorique française en matière

---

[2] Art. 39 de la Magna Carta : « Aucun homme libre ne sera arrêté ni emprisonné, ou dépossédé de ses biens, ou déclaré hors-la-loi, ou exilé, ou exécuté de quelque manière que ce soit, et nous n'agirons pas contre lui et nous n'enverrons personne contre lui, sans un jugement légal de ses pairs et conformément à la loi du pays ».

[3] Préambule de la Déclaration des droits de l'homme et du citoyen du 26 août 1989 : « Les Représentants du Peuple Français, constitués en Assemblée Nationale, considérant que l'ignorance, l'oubli ou le mépris des droits de l'Homme sont les seules causes des malheurs publics et de la corruption des Gouvernements, ont résolu d'exposer, dans une Déclaration solennelle, les droits naturels, inaliénables et sacrés de l'Homme, afin que cette Déclaration, constamment présente à tous les Membres du corps social, leur rappelle sans cesse leurs droits et leurs devoirs ; afin que les actes du pouvoir législatif, et ceux du pouvoir exécutif, pouvant être à chaque instant comparés avec le but de toute institution politique, en soient plus respectés ; afin que les réclamations des citoyens, fondées désormais sur des principes simples et incontestables, tournent toujours au maintien de la Constitution et au bonheur de tous.

En conséquence, l'Assemblée Nationale reconnaît et déclare, en présence et sous les auspices de l'Être suprême, les droits suivants de l'Homme et du Citoyen ».

de libertés, ce qui n'avait pas manqué de la faire ricaner : « *To you the words, to us the facts* ».

Ce que je voudrais dire à nos amis britanniques à cet instant, s'agissant des libertés, c'est que nous devons contribuer ensemble à ce qui est aujourd'hui au cœur de nos progrès, c'est-à-dire la *justice européenne*. Dans les textes qui fondent cette justice européenne qui nous est si chère, on retrouve les deux sources essentielles : d'un côté le droit écrit et de l'autre la *Common Law*.

Nos générations – la mienne qui s'efface et celle qui lui succède immédiatement – ont à leur crédit la réussite de la Cour européenne des droits de l'homme qui met en œuvre les principes fondamentaux de la Convention européenne de sauvegarde des droits de l'homme et des libertés fondamentales et assure ainsi à tous les citoyens, ressortissants et habitants de 47 États sur 48 du continent européen, la garantie de leurs droits fondamentaux et de leurs libertés. Compte tenu du passé, c'est un si grand pas en avant, une si grande réussite qu'il faut bien mesurer qu'à cet égard, nous pouvons prétendre être les héritiers des grands auteurs des textes fondamentaux que j'ai évoqués tout à l'heure. Nous n'avons pas, à cet égard, manqué aux exigences de notre grande histoire. La génération à laquelle j'appartiens, peut-être parce qu'elle a connu les horreurs de la guerre – en vainqueurs constants du côté des Britanniques, avec des ombres et des lumières de notre côté, mais en tout cas pour tout le continent européen au prix d'immenses souffrances – est allée de l'avant. Nous avons réussi à créer un système de garanties des libertés à dimension internationale unique dans le monde.

À cette heure où je vois certains douter de l'avenir de l'Europe, je rappelle qu'aujourd'hui, le continent européen est celui où les libertés et les droits des hommes et des femmes sont le mieux assurés, le mieux garantis. Alors tirons-en fierté, pas excessive car il y a encore des progrès à réaliser, mais quand même justifiée. Les Anglais et la tradition de la *Common Law* demeurent pour une bonne part les inspirateurs et aussi les co-auteurs de ce système.

J'écoute attentivement, et je lis autant que je le puis ce qui se dit et s'écrit de l'autre côté du *Channel*. Et je ne dissimule pas que le retrait britannique de la Cour européenne des droits de l'homme serait le coup le plus rude qui pourrait être porté à la justice européenne. Il existe un courant qui me paraît avoir pris, hélas, dans les derniers temps plus d'acuité, plus de force, et qui se révèle plus menaçant, pour la participation de la Grande-Bretagne et de ses magistrats éminents à l'œuvre commune de la justice européenne, que nous ne l'avons vécu depuis longtemps. Et dans cette salle, je dis clairement : une justice européenne sans la participation des Britanniques, ou même avec nos amis britanniques traînant les pieds et faisant tout ce qu'ils peuvent pour en ralentir les progrès, ce serait un coup terrible, vraiment terrible, porté par les descendants de ceux qui nous ont ainsi enseigné le culte de la Magna Carta. Cette inquiétude n'est pas que rhétorique, elle est politique. Mais cet avertissement que je lance, *pas de grande justice européenne sans la participation active des Britanniques*, est l'expression d'une conviction profonde chez tous les juristes européens épris de liberté.

En ce qui concerne notre ami Errera, c'était depuis toujours une conviction absolue chez lui que nous ne pouvions pas réussir à faire progresser l'Europe du Droit, et plus encore la justice européenne si nous n'allions pas de l'avant, et de l'avant avec les juristes, les juges, les avocats britanniques. Cela aurait été tout simplement inconcevable pour lui.

Je me souviens que l'on disait de Thomas More qu'il était « *a man for all seasons* », un homme de toutes les saisons. C'est magnifique : que ce soit l'hiver glacial ou le printemps plein d'espérance, la liberté est pour eux toujours présente. Tel fut le cas de notre ami Roger Errera. C'est, dans tous les horizons du droit, un homme qui se portait au premier rang des libertés, qui contribua à les défendre et à les faire progresser, que ce soit par l'enseignement du droit lui-même et – ce qui est rare chez les universitaires français – pas seulement en France ou dans les pays francophones, mais aussi en Angleterre, aux États-Unis et plus exceptionnel encore, à Prague, à Budapest et en Israël. Là, il a formé des générations de juristes en les pénétrant du souffle qui l'animait, celui des libertés. C'est aussi un homme qui a fait progresser le droit par sa pensée, par ses écrits, par ses nombreux articles et commentaires que chacun a lus, et par les deux ouvrages qui ont été si largement cités au long de cette journée.

Ainsi, par son rôle dans la justice, par son enseignement du droit, par sa vision, sa « vista » qui est la marque des véritables juristes qui pensent demain à travers aujourd'hui, et rejettent l'axiome ironique de Lénine, qui disait que les juristes ont cette particularité d'avancer en regardant constamment derrière eux, Roger Errera était une pensée phare, une de celles qui ouvrent les voies de l'avenir et, plus encore, qui y font s'engager les jeunes générations. Qu'hommage donc lui soit rendu. Restons fidèles à son exemple et veillons à ce que ce qui était si intense chez lui, la conscience que les libertés étaient au cœur non seulement du devenir de notre nation mais de l'Union européenne, demeure présent en nous. C'est ce message-là que je souhaite que nous retenions de Roger Errera. Je vous remercie.

EN GUISE DE POST-SCRIPTUM

Aristide LÉVI*

Faisant suite au colloque que le Conseil d'État, l'Association des Juristes Franco-Britanniques et la Société de législation comparée ont organisé, le 30 novembre 2015, sur le thème « *Les libertés en France et au Royaume-Uni : État de droit, Rule of Law* »[1], le présent ouvrage vient en quelque sorte clore un triptyque. Un triptyque dédié à un esprit libre et, pourrait-on dire, protéiforme, « *a man for all seasons* », tel Thomas More, pour reprendre l'heureuse comparaison du président Robert Badinter.

Le premier volet en sera la soirée en mémoire de Roger Errera, « *Passeur entre la France et l'Europe centrale* », accueillie par le Centre culturel tchèque de Paris, le 13 février de cette même année. Présidée par S.E. Pavel Fischer, ambassadeur de la République tchèque en France de 2003 à 2010, cette soirée aura permis à quelques collègues et amis de Roger Errera d'apporter leur témoignage sur son action, d'abord comme simple citoyen venant apporter un inlassable et courageux soutien à la dissidence tchécoslovaque aux temps des libertés muselées, puis comme juriste, consultant et expert reconnu, notamment auprès de la République tchèque, et enfin comme professeur invité à l'Université d'Europe centrale de Budapest[2].

---

* Membre du Board et de l'Academic Committee de l'Association des Juristes Franco-Britanniques, administrateur du Centre français de droit comparé, membre de la Société de législation comparée, ancien directeur du CREDA.

[1] Cette manifestation fait elle-même suite au remarquable et quasi symétrique colloque « *Magna Carta and the Déclaration des Droits de l'Homme et du Citoyen - Past, Present and Future* », tenu, le 11 juin 2015 à Londres, dans la prestigieuse Lancaster House, sous l'égide du Franco-British Council, de l'Ambassade de France au Royaume-Uni et de la section anglaise de l'Association des Juristes Franco-Britanniques.

[2] http://www.rogererrera.fr/

Le deuxième volet du triptyque sera l'hommage à l'activité éditoriale de Roger Errera « *Autour de la collection* Diaspora », rendu au Musée d'art et d'histoire du Judaïsme le 14 juin 2015[3]. Publiée aux éditions Calmann-Lévy, cette collection, aussi prolifique qu'éclectique, notre ami en fut le créateur et, quarante-cinq années durant, le directeur clairvoyant et exigeant. Selon ses propres termes, *Diaspora* avait été conçue comme « ... *une collection d'essais de qualité consacrés à l'ensemble des aspects du judaïsme et de l'existence juive : religieux, historiques, philosophiques, politiques, littéraires et culturels* ». Au cours de cet hommage, organisé sous le double patronage de la Fondation du Judaïsme Français et du Musée d'art et d'histoire du Judaïsme et présidé par Mme Dominique Schnapper, présidente du MAHJ, trois thèmes principaux de la collection *Diaspora* seront abordés par des spécialistes de ces thèmes, dont certains auteurs de cette collection : *Vichy et les Juifs, Le dialogue judéo-chrétien, Histoire et pensée des mondes juifs*.

Venant parachever cette trilogie, le dernier volet sera donc l'hommage au juge, au juriste universaliste, rendu au sein du Conseil d'État, que Roger Errera se plaisait à appeler la « Vieille Maison ». *Sa* « Vieille Maison ». Il demeurera plus de quarante années à son service.

À l'issue de cet après-midi du 30 novembre 2015, tous ceux, nombreux, que ce colloque a réunis ont pu considérer que, par la voix d'éminents juristes issus des deux rives de la Manche, tout – ou presque – a pu être dit, et magistralement dit, sur les Libertés, sur cet État de droit ou ce *Rule of Law* qui assurent la garantie de *nos* Libertés, sur les textes vénérables qui nous ont laissé ce bien commun en héritage, sur la force mais aussi la vulnérabilité d'un tel bien, et même sur son inachèvement.

Chemin faisant, ces mêmes voix ont évoqué avec ferveur la « pensée phare », dira le président Badinter, de celui qui, par la plume, par l'enseignement, par son activité de juge et par son action de citoyen, s'est voué avec une constance et une énergie sans failles à la préservation de ce bien commun.

Il ne saurait donc être question de revenir ici sur les arcanes, savamment explorés, de l'État de droit ou du *Rule of Law* ni d'ajouter aux

[3] http://www.rogererrera.fr/ et http://www.akadem.org/sommaire/themes/culture/litterature/litterature-francophone/roger-errera-et-la-collection-diaspora-16-06-2015-71699_403.php

excellents propos sur l'héritage intellectuel de celui qui conserve une place de choix dans l'esprit comme dans le cœur de beaucoup d'entre nous, et dont le président Vigouroux a su dresser un portrait de belle facture.

Qu'il soit simplement permis d'évoquer ici un souvenir, suscité précisément par ce portrait. Christian Vigouroux y souligne, comme « chose à saluer parce que non automatique encore », que notre ami était « un juge qui aime la justice, les institutions de justice et les juges, qui aime le droit et le rapport de la liberté et du juge ». Et de conclure : « Une promotion de l'École nationale de la magistrature pourrait justement porter son nom. Ce n'est pas un appel, c'est un rêve ».

Voilà quelques années, au cours d'un séjour de vacances Roger Errera fait la connaissance d'une étudiante préparant alors le concours d'entrée à cette école. « Attentif aux jeunes et à l'avenir », pour reprendre la formule du président Vigouroux, il prend en sympathie cette jeune fille, peu avertie des codes de ce concours et des arcanes de la magistrature, mais dont il perçoit la motivation. En bon mentor et fin pédagogue, il lui livre quelques clés, destinées plus particulièrement à affronter le grand oral. L'ancienne étudiante, maintenant en passe d'être juge, très marquée par cette rencontre, puis par la lecture de *Et ce sera justice,* proposera que sa promotion porte le nom de Roger Errera.

Finalement, à ce conseiller d'État atypique qui s'intéressa tant à la justice judiciaire et qui, de 1988 à 1996, fut un membre très estimé du conseil d'administration de l'ENM, sera préféré Victor Hugo. L'auteur de *Dernier jour d'un condamné* fut juge, il est vrai, et son engagement pour les valeurs du Droit et de la Justice nous a été récemment rappelé à la Cour de cassation[4].

Mais, continuons de rêver… Et formulons le souhait que cet hommage commun à Roger Errera, maintenant en dépôt auprès des jeunes générations, contribue à perpétuer cette « pensée phare » qui aura éclairé durablement les lecteurs des *Libertés à l'abandon*.

[4] « *Serviteurs de la loi et héros du droit chez Victor Hugo* », colloque organisé par l'Association française pour l'histoire de la justice, *cf. Journal Spécial des Sociétés*, 8 juin 2016, p. 16 et s.

Ce « post-scriptum » ne saurait s'achever sans que des remerciements appuyés soient adressés à tous ceux sans lesquels cet hommage n'aurait pu être ce qu'il a été.

D'abord, joints à ceux qui ouvrent la contribution de Sir Michael Tugendhat, des remerciements émus destinés à Roger Errera lui-même. Sans les relations d'étroite connivence intellectuelle, de haute estime réciproque et d'amitié qu'il a suscitées et développées sa vie durant, réunir un tel plateau n'aurait pas été chose facile...

Et de fait, c'est sans aucune hésitation que tous les intervenants sollicités ont répondu présent. Que chacun de ceux qui ont ainsi eu à cœur de prêter leur concours à cet après-midi dédié à Roger Errera en soit chaleureusement remercié.

Il faut naturellement savoir gré à M. le vice-président Jean-Marc Sauvé de l'accueil qu'il a d'emblée réservé à ce qui n'était encore qu'une simple idée de manifestation scientifique en mémoire de l'un de ses collègues et à celui, très attentif et généreux, que lui-même et Mme Maryvonne de Saint Pulgent, présidente de la section du rapport et des études, réserveront ensuite, dans la belle salle d'assemblée générale du Conseil d'État, à ce qui sera devenu le colloque du 30 novembre.

La qualité de l'organisation de ce colloque doit beaucoup aux collaborateurs de la section du rapport et des études, et tout spécialement à l'engagement constant et scrupuleux de Mme Marie Delord, chargée de mission pour les relations internationales.

Dans ces remerciements dus à la « Vieille Maison », une mention particulière doit être réservée à Timothée Paris. Sa double qualité de maître des requêtes au Conseil d'État et de secrétaire général de la Société de législation comparée s'est révélée un atout des plus précieux dans le travail commun de préparation de cette manifestation, travail mené dans une connivence amicale qui a été un second gage de réussite.

Une vive gratitude doit également être témoignée à la Société de législation comparée, à Mme le professeur Bénédicte Fauvarque-Cosson, qui en fut la présidente très active jusqu'à la fin de l'année 2015, au secrétaire général déjà nommé, à Mme Caroline Lafeuille, secrétaire générale adjointe, qui ont œuvré avec grande efficacité au succès de l'entreprise commune. Nous leur devons en outre, il faut le souligner ici, d'avoir obligeamment accueilli au sein de la collection des publications de la SLC cet ouvrage, dont Mme Emmanuelle Bouvier a assuré la fabrication avec tout le professionnalisme qu'on lui connaît.

« *Last but not least* » destinataire de ces remerciements collectifs, la *Franco-British Lawyers Society* (l'Association des Juristes Franco-Britanniques), dont le président, le Bâtonnier Bernard Vatier, et la présidente de la section française de cette association, Mme Katherine Lisfranc, ont accueilli sans réserve, et très tôt, le projet d'un colloque qui célébrerait, en 2015, le 800ème anniversaire de la Grande Charte, cette fameuse *Magna Carta Libertatum*.

Rappelons-le, Roger Errera avait manifesté le souhait de prendre part à un tel colloque. Il ne put hélas en être ainsi. Mais Roger Errera reste parmi nous en nous laissant en partage un bel ouvrage, qui aurait pu s'intituler « Mélanges en mémoire de Roger Errera ».

Bénédicte Fauvarque-Cosson, Jean-Marc Sauvé, Bernard Vatier

Jean-Marc Sauvé, Sir Michael Tugendhat

Duncan Fairgrieve, Mattias Guyomar, Guy Canivet

Bernard Stirn, Bénédicte Fauvarque-Cosson, Jean-Marie Delarue

Denis Salas, Jean-Paul Jean, Bernard Vatier, Sir Jeffrey Jowell

Christian Vigouroux

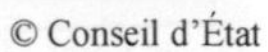

© Conseil d'État

Robert Badinter

© Conseil d'État

Salle d'assemblée générale, Conseil d'État

LISTE DES SOUSCRIPTEURS

ALPMAN Emre, juriste d'entreprise, Turkcell (Istanbul)
BARTHÉLEMY Jean, avocat honoraire au Conseil d'État et à la Cour de cassation, ancien président de l'Ordre
BEAUD Olivier, professeur de droit public, Université Panthéon-Assas (Paris II)
BEDARD Philippe, avocat au Barreau de Paris
BENACCHIO Gian Antonio, professeur à l'Université de Trento, Italie
BERNARD Paul, maître des requêtes au Conseil d'État
Bibliothèque Cujas, Paris
BOLITT Jean-Baptiste, éducateur à la Protection Judiciaire de la Jeunesse
BONICHOT Jean-Claude, juge à la Cour de justice de l'Union européenne
BONICHOT Stéphane, avocat au Barreau de Paris
CANTIE Christophe, magistrat administratif
CASTELLANE Béatrice, avocate au Barreau de Paris, ancien membre du Conseil de l'Ordre, arbitre international
CHAPUT Yves, professeur émérite de l'École de Droit de la Sorbonne (Université Paris I Panthéon-Sorbonne)
CHOURAQUI Gilles, ancien ambassadeur
COFFIN Maxime
COMBARNOUS Michel, président de section honoraire au Conseil d'État
DARMON Jean-Pierre
DARMON Marco, magistrat honoraire et ancien avocat général de la CJUE
d'AUMALE Geoffroy, descendant d'un signataire de la Magna Carta
DELORME-HOECHSTETTER Marielle, membre de la famille
DENIS-LINTON Martine, conseillère d'État
DEVOS Emmanuelle, directrice de la Cinémathèque de la ville de Paris
du MARAIS Bertrand, conseiller d'État, président du Think Tank FIDES

DUPRAT Jean-Pierre, professeur émérite de la faculté de droit de l'Université de Bordeaux
ERRERA Antoine, premier conseiller à la Cour administrative d'appel de Versailles
ERRERA Vincent, directeur-adjoint de l'hôpital René Dubos, Pontoise
EVANS Kate et Mark, amis, anciens membres du British Council
FELDMAN David, avocat à la Cour, docteur en droit, MJur (Oxon)
FOULON Edith et Marcel, magistrats
FROMONT Michel, professeur émérite de l'École de Droit de la Sorbonne (Université Paris I Panthéon-Sorbonne)
FRYDMAN Patrick, conseiller d'État, Président de la Cour administrative d'appel de Paris
GENEVOIS Bruno, président de section honoraire au Conseil d'État
GÉRARD Patrick, président adjoint de la section du rapport et des études du Conseil d'État
GRAU Richard, avocat
GUILLAUME Éric, directeur de la Librairie Duchemin, Paris
GUINCHARD Serge, professeur émérite de l'Université Panthéon-Assas (Paris II), recteur honoraire
HADAS-LEBEL Raphaël, président de section honoraire au Conseil d'État
HASCHER Dominique, président de la Société de Législation Comparée
JACQUET Jean
KIOURTSAKIS Yannis (écrivain) et Gisèle
KOERING-JOULIN Renée, conseiller honoraire à la Cour de cassation, membre de la commission nationale consultative des droits de l'homme
LECLERC Jean-Pierre, président de section honoraire au Conseil d'État
LESTER Anthony, Lord Lester of Herne Hill QC
LÉVI Marie-Louise et Aristide
Librairie Dalloz, Paris
Librairie Duchemin, Paris
Librairie Ecosphère, Marne la Vallée
Librairie Le Furet du Nord, Lille
Librairie LGDJ, Paris
LISFRANC Katherine, présidente de la section française de l'Association des Juristes Franco-Britanniques

LUDET Daniel, magistrat

MASSOT Jean, président de section honoraire au Conseil d'État

MAUS Didier, ancien conseiller d'État, Maire de Samois-sur-Seine

MAWO NYETAM André, École de Droit de la Sorbonne (Université Paris I Panthéon-Sorbonne)

MÉAR Alain, conseiller d'État

MENDELOVICI Jacques

PELLISSIER Roseline, président honoraire de tribunal administratif

POUPET Raphaëlle, avocat associé au Conseil d'État et à la Cour de cassation

QUESTIAUX Nicole, présidente de section honoraire au Conseil d'État

RIBS Jacques, conseiller d'État honoraire

TALEB-KARLSSON Akila, maître de conférences en droit à l'Université de Toulon

THÉRY Jean François, président de section honoraire au Conseil d'État

TIBERGHIEN Frédéric, conseiller d'État

VATIER et Associés, association d'avocats

VORMUS Martine et Pierre, retraités

WEBER Bernard, juriste

ZAUBERMAN Marguerite, magistrat honoraire, médiateur national délégué

ZUBER Valentine, directrice d'étude à l'École pratique des hautes études PSL Research University

Collection « Colloques »*

n°1. *Juges et jugements : l'Europe plurielle l'élaboration de la décision de justice en droit comparé*, 1998, 111 pages.

n°2. *L'équité ou les équités. Confrontation Occident-Monde arabe,* édité par le CEDROMA et la Société de législation comparée, 2004, 251 pages.

n°3. *Égalité des sexes : la discrimination positive en question. Une analyse comparative (France, Japon, Union européenne et États-Unis)*, sous la direction de Miyoko Tsujimura et Danièle Lochak, 2006, 344 pages.

n°4. *L'efficacité des mesures de lutte contre la contrefaçon : étude comparée*, 2006, 152 pages.

n°5. *Les recours collectifs. Étude comparée*, 2006, 145 pages.

n°6. *La sécurité financière*, sous la direction de Joël Monéger, 2007, 170 pages.

n°7. *Les sources du droit : aspects contemporains*, édité par le CEDROMA et la Société de législation comparée, 2007, 314 pages.

n°8. *Le centenaire du Code civil suisse,* Association Franco-suisse de Paris II, 2008, 227 pages.

n°9. *Vers un nouveau procès pénal ? – Neue Wege des Strafprozesses,* sous la direction de Jocelyne Leblois-Happe, 2008, 215 pages.

n°10. *Un nouveau regard sur le droit chinois,* 2008, 268 pages.

n°11. *L'enfant en droit musulman (Afrique, Moyen orient),* sous la direction de Lucette Khaïat et Cécile Marchal, 2008, 433 pages.

n°12. *La responsabilité du chef de l'État*, sous la direction de Jean Massot, 2009, 198 pages.

n°13. *La revalorisation des Parlements*, 2010, 112 pages.

n°14. *Gestation pour autrui : Surrogate motherhood*, sous la direction de Françoise Monéger, 2011, 276 pages.

---

* Éditeur : Société de législation comparée, 28 rue Saint-Guillaume, 75007 Paris. www.legiscompare.com

n°15. *Analyse comparée des discriminations religieuses en Europe. A Comparative Approach to Religious Discriminations in Europe*, sous la direction de Élisabeth Lambert Abdelgawad et Thierry Rambaud, 2011, 290 pages.

n°16. *Les services d'intérêt économique général et le marché intérieur : régimes nationaux et cadre juridique européen*, sous la direction de Jean-Louis Dewost, 2012, 174 pages.

n°17. *Théorie et pratiques du référendum*, 2012, 106 pages.

n°18. *Homoparentalité ? Approche comparative*, 2012, 192 pages.

n°19. *Autorités administratives, droits fondamentaux et opérateurs économiques*, 2013, 108 pages.

n°20. *Les mutations constitutionnelles*, 2013, 210 pages.

n°21. *Codification du droit privé et évolution du droit de l'arbitrage, Journées franco sudaméricaines de droit comparé, 3-4 octobre 2013*, sous la direction de Bénédicte Fauvarque-Cosson, Diego P. Fernández Arroyo et Joël Monéger, 2014, 230 pages.

n°22. *Le cloud computing / L'informatique en nuage*, sous la direction de Bénédicte Fauvarque-Cosson et Célia Zolynski, 2014, 160 pages.

n°23. *Mobilité et protection des personnes vulnérables en Europe : connaissance et reconnaissance des instruments*, 2014, 80 pages.

n°24. *La législation déléguée*, sous la direction de Philippe Lauvaux et Jean Massot, 2014, 166 pages.

n°25. *L'entreprise et la sécurité juridique*, sous la direction de Bénédicte Fauvarque-Cosson et Jean-Louis Dewost, 2015, 124 pages.

n°26. *L'accès au juge de cassation*, sous la direction de Guillaume Drago, Bénédicte Fauvarque-Cosson et Marie Goré, 2015, 310 pages.

n°27. *Le droit public britannique : état des lieux et perspectives*, sous la direction d'Aurélien Antoine, 2015, 320 pages.

n°28. *Les libertés en France et au Royaume-Uni : État de droit et Rule of Law. À propos de l'anniversaire de la Grande Charte de 1215*, sous la direction d'Aristide Lévi, 2016, 140 pages.

Achevé d'imprimer par Corlet Numérique - 14110 Condé-sur-Noireau
N° d'Imprimeur : 130034 - Dépôt légal : juin 2016 - *Imprimé en France*